APRENDENDO A VIVER COMO JESUS

APRENDENDO A VIVER COMO JESUS

Um novo olhar sobre o fruto do Espírito

CHRISTOPHER J. H. WRIGHT

Traduzido por Susana Klassen

mundocristão

Os textos das referências bíblicas foram extraídos da *Nova Versão Transformadora* (NVT), da Editora Mundo Cristão (usado com permissão da Tyndale House Publishers, Inc.), salvo as seguintes indicações: *Nova Versão Internacional* (NVI), da Biblica Inc., *Almeida Revista e Corrigida* (RC) e *Almeida Revista e Atualizada*, 2ª ed. (RA), ambas da Sociedade Bíblica do Brasil. Eventuais destaques nos textos bíblicos e citações em geral referem-se a grifos do autor.

CIP-Brasil. Catalogação na publicação
Sindicato Nacional dos Editores de Livros, RJ

W933a

Wright, Christopher J. H.
Aprendendo a viver como Jesus : um novo olhar sobre o fruto do espírito / Christopher J. H. Wright ; tradução Susana Klassen. - 1. ed. - São Paulo : Mundo Cristão, 2019.
192 p.

Tradução de: Becoming like Jesus : cultivating the fruit of the Spirit
ISBN 978-85-433-0392-5

1. Bíblia - Estudo e ensino. 2. Bíblia N.T. Epístolas de Paulo - Teologia. 3. Frutos do Espírito Santo. I. Klassen, Susana. II. Título.

19-56177 CDD: 242.5
CDU: 27-23

Edição
Daniel Faria

Preparação
Natália Custódio

Produção
Felipe Marques

Colaboração
Ana Paz

Diagramação
Luciana Di Iorio

Categoria: Espiritualidade
Impressão em sistema digital sob demanda

Publicado no Brasil com todos os direitos reservados por:

Editora Mundo Cristão
Rua Antônio Carlos Tacconi, 69
São Paulo, SP, Brasil
CEP 04810-020
Telefone: (11) 2127-4147
www.mundocristao.com.br

Sumário

Prefácio

Durante muitos anos, o Ministério da Saúde da Inglaterra veiculou uma campanha de conscientização pública sobre a importância de incluir em uma dieta saudável frutas e legumes em grande quantidade. A recomendação era para que todos ingerissem pelo menos cinco porções de frutas ou legumes nas refeições diárias. A campanha ficou conhecida como "Cinco por Dia". As pessoas perguntavam umas às outras: "Comeu suas cinco porções?".

Em 2013, a organização Langham Partnership UK and Ireland, sob a liderança de Ian Buchanan, nosso diretor executivo à época, fez uma campanha para incentivar as pessoas a se tornarem mais semelhantes a Cristo. Na visão da Langham, cristãos e igrejas ao redor do mundo deviam aprofundar-se em maturidade espiritual, e não apenas crescer em números por meio de evangelismo. E isso significa tornar-se mais semelhante a Jesus. Cremos que o amadurecimento acontece quando nos alimentamos da palavra de Deus, especialmente quando ela é pregada com fidelidade e clareza, a fim de exercer impacto relevante na vida e no contexto das pessoas. Portanto, um dos principais objetivos da Langham é elevar os padrões da pregação bíblica.

Decidiu-se que o conteúdo central da campanha consistiria em uma série de estudos bíblicos e de vídeos sobre o fruto do Espírito em Gálatas 5.22-23. Essa escolha se deveu, em parte, ao fato de sabermos que John Stott — fundador da organização

Langham Partnership, falecido em 2011 — costumava orar todas as manhãs para que Deus, o Espírito Santo, fizesse o fruto do Espírito amadurecer em sua vida. Diante disso, uma vez que Paulo relaciona nove itens em sua descrição do fruto do Espírito, Jonathan Lamb (então diretor de programação da Langham Preaching) teve a ideia de chamar nossa campanha de *Nove por Dia: Assemelhando-se a Jesus*. Devemos ter o mesmo cuidado diário em cultivar as nove qualidades que constituem o fruto do Espírito que temos em ingerir cinco porções de frutas ou legumes.

Como preparativo para a campanha, propus-me pregar uma série de exposições bíblicas a respeito do fruto do Espírito na Portstewart Kenswick Convention, na Irlanda do Norte (minha terra natal), em julho de 2012. Dessas exposições nasceram as apresentações breves e condensadas que fiz em vídeo para a campanha *Nove por Dia* (disponíveis em: <https://uk.langham.org/get-involved/videos/9-day-campaign-videos/>), e foram essas exposições que forneceram o material básico para os capítulos deste livro. O que você lerá nas páginas a seguir, portanto, foi apresentado como pregação, e não procurei alterar nem ocultar esse estilo de comunicação ao transferi-lo para a forma escrita.

O fato de o material ter nascido de pregações nos leva a observar mais duas coisas.

Primeiro, este é o tipo de livro que você precisa ler com a Bíblia por perto. Em todos os capítulos, investigo um pouco das profundezas e da extensão do contexto bíblico para cada uma das palavras que o apóstolo Paulo menciona no fruto do Espírito. Exploraremos vários textos bíblicos ao longo do caminho, na expectativa de que esse processo traga enriquecimento e ânimo.

Segundo, espero que este livro seja proveitoso para outros pregadores (bem como para leitores cristãos em geral) e, com esse desejo em mente, não apresentei muitas ilustrações nem relatos. Talvez pareça estranho, uma vez que sermões precisam de ilustrações apropriadas para ajudar a enfatizar seus pontos centrais e torná-los memoráveis. E, sem dúvida, não faltariam exemplos e histórias para ilustrar cada um dos aspectos do fruto do Espírito. Um elemento fundamental da boa pregação, contudo, é que deve não apenas ser fiel ao texto bíblico, mas também relevante para o contexto local do pregador e dos ouvintes. Assim, pareceu-me melhor não apresentar muitos exemplos extraídos de meu contexto no Reino Unido. Antes, extraio diversos exemplos de relatos e personagens da Bíblia (especialmente de seu personagem principal, o próprio Deus, conforme ele se revela tanto no Antigo Testamento como na pessoa de Jesus Cristo). Cabe, então, ao pregador que deseje usar este livro como recurso para sua pregação pensar em exemplos extraídos de seu contexto cultural e ilustrar e aplicar o desafio bíblico do fruto do Espírito de modo a envolver o coração, a mente e a vida de seu público e exercer impacto sobre ele. As perguntas no fim de cada capítulo têm por objetivo servir de incentivo para isso, e também fornecer um ponto de partida para discussões em estudos bíblicos em grupo a respeito de cada tema.

Chris Wright
Diretor de Ministérios Internacionais
Langham Partnership
Junho de 2015

Introdução

Pai celeste, peço que neste dia eu viva em tua presença e te agrade cada vez mais.

Senhor Jesus, peço que neste dia eu tome tua cruz e te siga.

Espírito Santo, peço que neste dia me enchas de ti e faças teu fruto amadurecer em minha vida: amor, alegria, paz, paciência, amabilidade, bondade, fidelidade, mansidão e domínio próprio.

Essa era a oração que John Stott fazia todas as manhãs, assim que acordava. Não causa surpresa, portanto, muitos que conviviam com Stott dizerem que ele era a pessoa mais semelhante a Cristo que conheciam. Deus respondeu a sua oração diária ao fazer que o fruto do Espírito amadurecesse em sua vida. E o que o Espírito de Deus faz, acima de tudo, é tornar aqueles que depositam sua fé em Jesus cada vez mais semelhantes a esse Jesus que amam e seguem e em quem confiam. Aliás, podemos dizer que o fruto do Espírito, com seus nove aspectos descritos em Gálatas 5.22-23, é um belo retrato de Jesus. Afinal, evidentemente Jesus era cheio do Espírito de Deus, e é Cristo que habita em nós por meio do Espírito. Logo, quanto mais estamos cheios do Espírito de Deus, e quanto mais o Espírito amadurece seu fruto em nós, mais semelhantes a Cristo nos tornamos.

Essa também era a oração do apóstolo Paulo. Não sabemos se, como John Stott, ele a expressava todos os dias para si mesmo, mas certamente era o que ansiava ver acontecer em outros que ele havia conduzido à fé em Cristo. Paulo sentia-se como mãe para os crentes gálatas, por causa dos quais, ele diz, era "como se estivesse passando outra vez pelas dores de parto [...] *até que Cristo [fosse] plenamente desenvolvido*" neles (Gl 4.19). Paulo ansiava que os cristãos fossem preenchidos de tal modo com o Espírito Santo que o próprio Cristo moldasse a vida deles de dentro para fora. E é exatamente isso que o apóstolo quer dizer quando fala do fruto do Espírito no capítulo 5.

Mas, uma vez que os versículos famosos a respeito do Espírito aparecem em Gálatas 5, precisamos voltar um pouco e ver parte do contexto e dos antecedentes daquilo que Paulo diz aqui. Então, teremos condições de perceber que esse belo retrato do fruto faz um contraste gritante com duas coisas muito menos atraentes e que devem ser inteiramente rejeitadas pelos seguidores de Jesus. Falaremos delas daqui a pouco. Primeiro, porém, certifique-se de que você tenha uma Bíblia à mão para investigarmos juntos alguns textos.

Paulo havia sido enviado pela igreja de Antioquia para pregar as boas-novas a respeito de Jesus entre os gentios (os não judeus) na província da Ásia Menor (atual Turquia). Lemos o relato em Atos 13—14. Pessoas de várias cidades da região da Galácia haviam atendido à pregação do apóstolo. Tinham passado a crer em Jesus de Nazaré como Senhor e Salvador, aquele que Deus prometera nas Escrituras do Antigo Testamento (que Paulo teve de explicar para eles, uma vez que não eram judeus e não sabiam coisa alguma a respeito do "Antigo Testamento"). Paulo lhes ensinou claramente acerca do Deus de Israel e da promessa magnífica que esse Deus havia feito a Abraão. O Senhor prometera a Abraão que, por meio dele e de seus descendentes, "todas as famílias da terra" seriam abençoadas (Gn 12.1-3). Sabemos que Paulo havia ensinado seus recém-convertidos a respeito dessas promessas, pois se refere a elas de modo bastante claro na carta que conhecemos como Epístola aos Gálatas. Ele havia garantido aos cristãos gálatas que, ao depositarem sua fé no Messias, tinham, de fato, se tornado parte do povo de Deus. Também eram filhos de Abraão, não ao se tornarem judeus (cultural ou etnicamente ou por meio de conversão prosélita), mas ao se tornarem filhos de Deus, adotados em sua família pela graça divina e pela fé em Jesus, o Messias. Embora fossem gentios, agora faziam parte do povo da aliança de Deus. Estavam entre os descendentes espirituais de Abraão. Em outras palavras, Paulo lhes diz que, se estão em Cristo, estão em Abraão, e as promessas de Deus lhes pertencem. Eis a explicação que ele apresenta:

> Logo, os verdadeiros filhos de Abraão são aqueles que creem. As Escrituras previram esse tempo em que Deus declararia os gentios justos por meio da fé. Ele anunciou essas boas-novas a Abraão há muito tempo, quando disse: "Todas as nações da terra serão abençoadas por seu intermédio". Portanto, todos os que creem participam da mesma bênção que Abraão recebeu por crer. [...] Pois todos vocês são filhos de Deus por meio da fé em Cristo Jesus.[1] Todos que foram unidos com Cristo no batismo se revestiram de Cristo. Não há mais judeu nem gentio, escravo nem

[1] Quando Paulo inverte a ordem habitual "Jesus Cristo" e escreve "Cristo Jesus", deseja enfatizar que "Cristo" não é um simples sobrenome. É a tradução grega do termo hebraico "messias", isto é, o ungido. Portanto, em algumas ocasiões é proveitoso traduzir "Cristo Jesus" por "Messias Jesus" para destacar a tônica daquilo que Paulo quer dizer ao associar Jesus às magníficas promessas do Antigo Testamento. Jesus é aquele que, como Messias, personifica e representa Israel como seu Rei, Senhor e Salvador. Logo, quando pertencemos ao Messias (ou seja, quando estamos "em Cristo"), pertencemos ao povo de Deus.

livre, homem nem mulher, pois todos vocês são um em Cristo Jesus. E agora que pertencem a Cristo, são verdadeiros filhos de Abraão, herdeiros dele segundo a promessa de Deus.

Gálatas 3.7-9,26-29.

Foi essa a verdade que Paulo lhes ensinou, e é dela que os lembra nessa carta.

No entanto, algo havia acontecido.

Desde que Paulo havia conduzido os gálatas à fé em Jesus e plantado uma igreja no meio deles, outros tinham aparecido com uma mensagem diferente. Esses outros eram judeus, como Paulo. É provável que fossem, ainda, crentes em Jesus, como os antigos fariseus (também como Paulo) sobre os quais lemos em Atos 15.5. Ao contrário de Paulo, contudo, não consideravam suficiente os gentios crerem em Jesus. Diziam que, se os gentios desejavam as bênçãos das promessas feitas por Deus a Abraão, deviam ingressar no povo de Abraão tornando-se prosélitos. Os prosélitos eram gentios que se convertiam à fé judaica ao serem circuncidados e observarem a lei de Moisés, que abrangia sobretudo prescrições a respeito do sábado e do consumo de alimentos ritualmente puros conforme o costume judaico. Portanto, esses outros mestres procuravam persuadir os cristãos gálatas de que, além da fé em Jesus, também precisavam tornar-se, com efeito, judeus circuncidados que guardavam a Torá.

Paulo reage de forma enérgica. Nos quatro primeiros capítulos de sua carta, assevera que precisam somente de Cristo. Nossa salvação é pela fé na promessa de Deus, como foi no caso de Abraão. A lei dada por Moisés desempenhou uma função correta e apropriada para o povo de Israel no Antigo Testamento na era antes de Cristo. Agora, porém, que o Messias veio, o caminho se abriu para que *qualquer* nação experimente a bênção de Abraão pela fé no Messias Jesus. Portanto, todos que creem em Cristo — judeus ou gentios — estão isentos da obrigação de viver sob a autoridade disciplinar da lei do Antigo Testamento. Antes, devem viver em liberdade, para Deus, com a presença de Cristo neles e "andando" pelo Espírito.

Mas esse tipo de vida não resultaria em licenciosidade moral? Isto é, se não fossem refreados pela lei de Moisés, esses gentios recém-convertidos não acabariam fazendo o que bem entendessem e voltando a sua antiga imoralidade pagã? Paulo diz que não. Trata-se de uma polarização falsa entre dois extremos. Esses são os dois perigos que mencionamos acima e aos quais agora podemos nos referir pelo nome: os extremos do legalismo e da licenciosidade.

É importante entender que a lei do Antigo Testamento em si certamente não era legalista. Pelo contrário, era fundamentada na graça divina salvífica, concedida aos israelitas depois que Deus os havia resgatado do Egito. Podia, contudo, ser facilmente *distorcida* e tornar-se uma mentalidade legalista. Quem insistia que os cristãos também deviam observar a Torá estava dizendo que, na verdade, o importante era guardar todas as regras e prescrições da lei (especialmente a circuncisão, as leis alimentares e a observância do sábado) como espécie de prova de sua identidade étnica e pactual. A observância da lei era uma insígnia para o indivíduo mostrar que fazia parte do povo justo de Deus e que era um verdadeiro judeu em todos os sentidos (como Paulo havia afirmado sobre si mesmo em Fp 3.4-6).

No entanto, a resposta a essa insistência distorcida na observância da lei não consiste em cair no extremo oposto e imaginar que, se não estamos "debaixo da lei", podemos fazer o que bem entendermos e satisfazer a todos os nossos desejos. O legalismo em um extremo (obedecer a todas as regras) e a licenciosidade em outro (rejeitar todas as regras) são respostas completamente erradas para a pergunta "Como os cristãos devem viver?".

É surpreendente que esses dois extremos e perigos ainda estejam presentes na igreja de hoje. Por um lado, há cristãos e igrejas extremamente legalistas. Enfatizam a importância de obedecer a todas as regras, insistem que é preciso fazer isto e nunca fazer aquilo a fim de provar que se é verdadeiramente cristão, gostam que tudo seja rígido e claro e, em geral, não têm compaixão por aqueles que não conseguem ou não desejam conformar-se às regras. A atitude deles parece ser: "Se você não consegue seguir nossas regras, não é um de nós". Em contrapartida, e como reação frequente a esse tipo de legalismo, há quem rejeite a ideia de regras e tradições na igreja. Na visão dessas pessoas, o objetivo maior da fé cristã é nos libertar do fardo religioso institucionalizado. "Deus nos ama como somos!", dizem. Com isso, não deixam espaço para conceitos como disciplina e obediência. Essa abordagem pode levar à tentação da imoralidade, e no fim das contas quem a adota pode se tornar indistinguível do mundo ao redor em sua forma de viver e pensar.

Como um pêndulo, portanto, parece que oscilamos entre os que impõem as leis e os que rejeitam as regras. No entanto, essa é uma falsa polaridade inteiramente equivocada. E Paulo trata dela em Gálatas 5. Ele mostra um caminho muito melhor, a forma verdadeiramente cristã de viver, que é o caminho que o Espírito Santo de Deus nos deu por meio de Cristo.

Aqui, será de grande ajuda ter sua Bíblia aberta em Gálatas 5 para acompanhar as linhas gerais da argumentação de Paulo.

Primeiro, Paulo concorda que, de fato, o evangelho de Cristo nos libertou. Diante disso, ele exorta os gálatas a não viverem como os que desejam impor sobre eles a lei do Antigo Testamento de modo a basear sua justiça na lei por meio de uma identidade judaica adquirida. "Portanto, permaneçam firmes nessa liberdade, pois Cristo verdadeiramente nos libertou. Não se submetam novamente à escravidão da lei" (5.1).

Uma vez que haviam crido no Messias Jesus, não importava se eram circuncidados ou não; o que importava era que sua fé era real, comprovada pelo amor deles. "Pois, em Cristo Jesus, não há benefício algum em ser ou não circuncidado. O que importa é a fé que se expressa pelo amor" (5.6).

Logo em seguida, porém, Paulo afirma que ser livre não significa liberdade para atender aos desejos da natureza humana. Nos textos de Paulo, essa expressão, comumente traduzida pelo termo "carne", não se refere apenas ao corpo humano físico; é uma forma resumida de falar de nossa natureza pecaminosa e decaída (que abrange nosso corpo, evidentemente, mas também nossos pensamentos, emoções, volição, desejos, sentimentos etc.). "Porque vocês, irmãos, foram chamados para viver em liberdade. Não a usem, porém, para satisfazer sua *natureza humana*. Ao contrário, usem-na para servir uns aos outros em amor" (5.13).

Você notou a referência dupla ao *amor* no final do versículo 6 e do versículo 13 (e outra que aparece adiante no versículo 14)? O amor é a resposta para o legalismo e para a licenciosidade.

- Para os que impõem a lei, Paulo diz: "O que importa é a fé que se expressa *pelo amor*". O amor nos permite cumprir devidamente a lei de Deus sem legalismo.

- Para os que rejeitam as regras, Paulo diz que devem "servir uns aos outros *em amor*". O amor nos permite usar devidamente nossa liberdade sem egoísmo.

Deixe-me explicar melhor esses dois pontos. Por um lado, amar uns aos outros é a atitude correta de obediência e fé diante da lei de Deus, como pretendido por Deus e destacado por Jesus. Paulo repete as palavras de Jesus em 5.14 ao citar Levítico 19.18: "Pois toda a lei pode ser resumida neste único mandamento: 'Ame o seu próximo como a si mesmo'" (5.14; ver tb. Rm 13.9-10). Esse é o versículo que Jesus chamou de segundo grande mandamento da lei (o primeiro é amar a Deus de todo coração, toda alma e toda a força; Dt 6.5).

Por outro lado, o amor nos impede de usar a liberdade para atender a nossos desejos egoístas. A liberdade cristã, embora nos liberte de um tipo de escravidão (a sujeição à lei), na realidade nos coloca debaixo de um tipo bem diferente de "escravidão" por amor a Cristo: a sujeição mútua ao servirmos "uns aos outros em amor".

Não é de admirar que Paulo coloque o amor no alto da lista de aspectos do fruto do Espírito alguns versículos adiante. Ele é *duplamente* importante!

Então, pouco antes de passar ao ápice de sua argumentação, Paulo faz uma advertência para *ambos* os grupos (v. 15). Pode acontecer de os que impõem as leis e os que rejeitam as regras tratarem uns aos outros de modo terrível por meio de atitudes e palavras faladas e escritas. Podem parecer cães que brigam e se despedaçam, e esse tipo de conflito entre cristãos pode acabar destruindo inteiramente uma igreja. Paulo os adverte: "Mas se vocês estão sempre mordendo e devorando uns aos outros, tenham cuidado, pois correm o risco de se destruírem" (5.15).

Por fim, o apóstolo chega à ideia central. Se não devemos ser governados nem pela lei nem pela carne, *o que* deve governar nosso modo de viver? Resposta: o Espírito. Paulo apresenta esse fato no começo, no meio e no fim da seção seguinte, nos versículos 16, 18 e 25. "Deixem que o Espírito guie sua vida", "guiados pelo Espírito", "vivemos pelo Espírito", "sigamos a direção do Espírito". Eis o cerne da vida cristã. É o centro e o segredo do que significa estar "em Cristo".

E, assim como Paulo falou do *poder do amor* de nos capacitar para viver em uma relação correta com a lei do Antigo Testamento e vencer o egoísmo e a carne, também explica que, se permitirmos que o *poder do Espírito de Deus* governe nosso modo de viver, evitaremos os extremos do legalismo e da licenciosidade. É o que ele explica nos versículos 16-18:

> Por isso digo: deixem que o Espírito guie sua vida. Assim, não satisfarão os anseios de sua natureza humana. A natureza humana deseja fazer exatamente o oposto do que o Espírito quer, e o Espírito nos impele na direção contrária àquela desejada pela natureza humana. Essas duas forças se confrontam o tempo todo, de modo que vocês não têm liberdade de pôr em prática o que intentam fazer.[2] Quando, porém, são guiados pelo Espírito, não estão debaixo da lei.

[2] A tradução da NVT ("vocês não têm liberdade de pôr em prática o que intentam fazer") é preferível à tradução mais antiga e mais comum ("para que não façais o que, porventura, seja do vosso querer", RA). A argumentação de Paulo aqui não é a mesma de Romanos 7.19, versículo no qual ele lamenta que, mesmo quando sabe o que deve fazer e deseja fazê-lo (em obediência à lei de Deus), descobre que não o faz. Aqui em Gálatas, o argumento é de que o Espírito nos guardará de satisfazer os desejos da carne, isto é, nos impedirá de fazer tudo o que desejamos, conforme nossa volição decaída e egoísta.

Portanto, quando dizemos "sim" para Jesus Cristo e "sim" para o Espírito Santo, dizemos "não" para a carne (não fazemos tudo o que queremos) e dizemos "não" para aqueles que desejam nos submeter ao fardo da lei como forma de provar nossa justiça.

A essa altura, nosso desejo é avançar e descobrir o que significa andar, viver e ser guiado pelo Espírito; antes, porém, Paulo quer certificar-se de que entendemos o oposto. A que tipo de vida os "desejos da natureza humana" conduzem? Paulo apresenta uma lista sombria nos versículos 19-21:

> Quando seguem os desejos da natureza humana, os resultados são extremamente claros: imoralidade sexual, impureza, sensualidade, idolatria, feitiçaria, hostilidade, discórdias, ciúmes, acessos de raiva, ambições egoístas, dissensões, divisões, inveja, bebedeiras, festanças desregradas e outros pecados semelhantes. Repito o que disse antes: quem pratica essas coisas não herdará o reino de Deus.

É uma lista tenebrosa, mas reveladora. Menciona questões individuais e questões sociais e culturais. Vai do âmbito público ao privado, de atos exteriores a emoções interiores. E é um reflexo exato daquilo que vemos ao nosso redor em maior ou menor grau. Este é o mundo em que vivemos. E é o mundo do qual somos chamados a ser diferentes. Mas como?

Agora, finalmente, em um contraste ofuscante com essa lista, Paulo descreve a vida no Espírito. Eis a passagem que será nosso texto ao longo do restante deste livro:

> Mas o Espírito produz este fruto: amor, alegria, paz, paciência, amabilidade, bondade, fidelidade, mansidão e domínio próprio. Não há lei contra essas coisas!
>
> Gálatas 5.22-23.

Observemos primeiro o que essa passagem *não* é. Ela não é uma lista de virtudes, correspondente à lista de vícios apresentada como "desejos da natureza humana". Em textos gregos e judaicos daquela época, havia listas correspondentes de virtudes e vícios cujo propósito era moldar o comportamento das pessoas. Em essência, diziam: "Não faça estas coisas (vícios). Em vez disso, faça estas coisas (virtudes)". Em ambos os casos, a ênfase era sobre *o que não se devia fazer* e *o que se devia fazer*. Claro que há certa semelhança entre essas listas e as duas relações apresentadas por Paulo. As listas de vícios e virtudes, contudo, também podiam facilmente ser usadas como listas de regras: "Não faça isso" e "Faça isso". E, com certeza, *não* é o que Paulo tem em mente aqui. Paulo não está dizendo: "Não tentem obedecer às regras do Antigo Testamento; em lugar delas, eis aqui um conjunto de regras bem mais fácil de seguir". Seria substituir uma atitude errada por outra. Na verdade, Paulo não está falando de regras.

A chave para entender o que o apóstolo está dizendo aqui se encontra na metáfora que ele usa: o fruto. Todas as belas palavras que ele escreve, quando consideradas juntas, são o *fruto* (singular) *do Espírito*. O fruto é um resultado natural da vida. Se uma árvore está viva, produz fruto. Faz parte da natureza de ser uma árvore viva! Fruto é o que se obtém quando uma árvore tem vida dentro dela.

Por que uma árvore dá fruto? Não é porque existe uma lei da natureza que impõe essa obrigação. O fruto nasce, simplesmente, da vida dentro dela, que se eleva do solo e da água que alimenta suas raízes e flui na seiva por todos os galhos até os menores ramos. Uma árvore não dá fruto em conformidade com as leis da natureza (se pudermos usar nossa imaginação e "pensar como uma árvore"), mas simplesmente porque tem vida, porque é e faz o que uma árvore é e faz quando está viva.

Portanto, o que Paulo está dizendo com essa lista de belas qualidades é: estas são as qualidades que o próprio Deus produzirá na vida cotidiana da pessoa porque a vida do próprio Deus está operando dentro dela. A vida de Deus (por seu Espírito) dará fruto na "árvore" da vida da pessoa simplesmente porque esse é o caráter de Deus e isso é o que Deus produz. Ou, como dissemos acima, o Espírito de Deus, que é o Espírito de Cristo, fará as qualidades da vida de Cristo se desenvolverem na vida da pessoa, de modo que ela se torne cada vez mais semelhante a Cristo, o que Deus quer para todos os seus filhos.

Em outras palavras, Paulo está falando aqui de *caráter* cristão. Infelizmente, hoje em dia caráter é algo bastante subestimado em boa parte da vida e das atividades da igreja. Preferimos encontrar as melhores técnicas, formular as estratégias mais bem-sucedidas e celebrar (ou criticar) o desempenho. Olhamos para o exterior, avaliamos as pessoas conforme "estão se saindo" e prestamos muito menos atenção no tipo de caráter que têm ou estão desenvolvendo. Veja, porém, as qualidades na lista de Paulo do fruto do Espírito. Não focalizam um tipo de *desempenho* que possamos alcançar, mas o tipo de *pessoa* que somos.

O fruto leva tempo. O caráter leva tempo. Aliás, leva uma vida inteira. John Stott fez aquela oração diária ao longo de toda a sua vida. Assim, separemos tempo para estudar o fruto no pomar do Espírito de Deus e deixemos que o fruto amadureça em nossa vida, ao longo de todo o tempo que Deus nos der.

1
Amor

O primeiro item é o amor.

Não causa surpresa. Como Paulo já deixou claro, o que verdadeiramente importa é "a fé que se expressa pelo amor" (5.6) e "servir uns aos outros em amor" (5.13), e toda a lei do Antigo Testamento é resumida na ordem "Ame o seu próximo como a si mesmo" (5.14).

Ao colocar o amor em primeiro lugar, Paulo imita Jesus. Quando alguém perguntou a Jesus quais eram os mandamentos da lei, ele respondeu com dois, um de Deuteronômio e outro de Levítico:

> Jesus respondeu: "Ame o Senhor, seu Deus, de todo o seu coração, de toda a sua alma e de toda a sua mente". Este é o primeiro e o maior mandamento. O segundo é igualmente importante: "Ame o seu próximo como a si mesmo". Toda a lei e todas as exigências dos profetas se baseiam nesses dois mandamentos.
>
> Mateus 22.37-40 (cit. Dt 6.5; Lv 19.18)

Quase certamente, é ao segundo tipo de amor — o amor ao próximo — que Paulo se refere ao falar aqui do fruto do Espírito. Ou seja, ele quer dizer que o primeiro aspecto do fruto do Espírito não é tanto nosso amor por Deus, mas nosso amor uns pelos outros como cristãos, um amor que transpõe todas as diferenças e barreiras. E Paulo não fala apenas de sentimentos afetuosos, de ser gentil, mas da prova real e prática de que nos amamos e nos aceitamos ao cuidar, prover, socorrer, incentivar e apoiar uns aos outros de maneiras objetivas, mesmo a um alto preço ou quando é doloroso fazê-lo. Em outras palavras, fala de amor em ação. Amor que acaba com divisões. Amor que une pessoas que, em outras circunstâncias, odiariam e até matariam umas às outras.

Exatamente quão importante é amar uns aos outros dessa forma? Por que é o primeiro item na lista paulina de aspectos do fruto do Espírito? O próprio Paulo tem muito a dizer sobre a importância de os cristãos amarem uns aos outros, mas João a enfatiza mais que qualquer outro escritor do Novo Testamento.

Portanto, usemos João como nosso guia para este primeiro estudo.

João registra *três* vezes em seu Evangelho a ordem de Jesus para que seus discípulos amem uns aos outros:

> Por isso, agora eu lhes dou um novo mandamento: Amem uns aos outros. Assim como eu os amei, vocês devem amar uns aos outros. Seu amor uns pelos outros provará ao mundo que são meus discípulos.
>
> João 13.34-35

> Este é meu mandamento: Amem uns aos outros como eu amo vocês.
>
> João 15.12

> Este é meu mandamento: Amem uns aos outros.
>
> João 15.17

Em sua primeira carta, João nos lembra *cinco* vezes de que esse é o mandamento de Deus e discorre sobre como devemos amar uns aos outros não apenas em palavras, mas também em ações e em verdade.

> Esta é a mensagem que vocês ouviram desde o princípio: que amemos uns aos outros.
>
> 1João 3.11

> Se alguém tem recursos suficientes para viver bem e vê um irmão em necessidade, mas não mostra compaixão, como pode estar nele o amor de Deus? Filhinhos, não nos limitemos a dizer que amamos uns aos outros; demonstremos a verdade por meio de nossas ações.
>
> 1João 3.17-18

> E este é seu mandamento: que creiamos no nome de seu Filho, Jesus Cristo, e amemos uns aos outros, conforme ele nos ordenou.
>
> 1João 3.23

> Amados, continuemos a amar uns aos outros, pois o amor vem de Deus. Quem ama é nascido de Deus e conhece a Deus. Quem não ama não conhece a Deus, porque Deus é amor.
>
> 1João 4.7-8

> Amados, visto que Deus tanto nos amou, certamente devemos amar uns aos outros. Ninguém jamais viu a Deus. Mas, se amamos uns aos outros, Deus permanece em nós, e seu amor chega, em nós, à expressão plena.
>
> 1João 4.11-12

Portanto, se existe algo primordial, central e essencial à vida cristã e a tornar-se mais semelhante a Jesus, deve ser o amor ao próximo. É o motivo pelo qual Paulo fala desse tipo de amor como primeiro sinal de que Deus está operando em nossa vida, o primeiro aspecto do fruto do Espírito de Deus em nós. João também considera esse amor um *indício*. Ele prova algo. Aliás, o amor prova diversas coisas que podemos observar juntos. De acordo com João, quando os cristãos amam uns aos outros, evidenciam algumas realidades de grande importância: o amor é evidência de vida, evidência de fé, evidência de Deus e evidência em favor de Jesus. Vejamos cada um desses itens.

1. O amor mútuo é evidência de vida

João desejava assegurar aos membros da igreja para a qual estava escrevendo que eles eram verdadeiros cristãos e que participavam da vida de Deus, a vida eterna. Por isso, leva seus leitores de volta aos alicerces da fé, de volta ao ensino que tinham ouvido desde o princípio, quando tiveram o primeiro contato com o evangelho e o receberam.

Em duas ocasiões, João usa as palavras "esta é a mensagem que ouvimos". A primeira é em 1João 1.5: "Esta é a mensagem que ouvimos dele e que agora lhes transmitimos: Deus é luz, e nele não há escuridão alguma". Se andarmos na luz ao confessarmos nossos pecados, vivermos em obediência como Jesus viveu e fazermos o que é certo, conheceremos Deus e saberemos que pertencemos a ele (2.3-6).

Então, na metade da carta, João repete essa frase, liga-a ao que acabou de dizer sobre fazer o que é certo e depois a expande com a ordem para amar uns aos outros: "Quem não pratica a justiça e não ama seus irmãos não pertence a Deus. Esta é a mensagem que vocês ouviram desde o princípio: que amemos uns aos outros" (1Jo 3.10-11).

Para João, andar na luz e andar em amor eram, juntos, os dois elementos mais básicos e essenciais de ser um cristão verdadeiro. Faziam parte da mensagem original e do ensino de

Jesus ("desde o princípio"). E faziam parte do evangelho que tinham ouvido e no qual tinham crido.

Contudo, João vai mais longe. Faz mais uma de suas declarações recorrentes que começam com "sabemos". João afirma que *podemos* saber e *devemos* saber algumas verdades de grande importância a respeito de nossa vida cristã. E talvez tenhamos aqui a verdade mais importante que podemos saber. Podemos *saber* que temos vida eterna. Podemos ter certeza disso. Aliás, João diz que esse é o principal motivo pelo qual ele escreveu seu Evangelho (Jo 20.30-31) e também o motivo pelo qual escreveu essa carta (1Jo 5.13).

João desejava que seus leitores soubessem com certeza que tinham a vida eterna. Como saber, porém, que você tem a vida que Deus dá? Ao ver as evidências que o amor de Deus produz em sua vida. "Se amamos nossos irmãos, significa que passamos da morte para a vida. Mas quem não ama continua morto" (1Jo 3.14).

O amor cristão é uma questão de vida ou morte. Esse é o grau de sua seriedade. É o que prova que passamos da morte para a vida.

As palavras de 1João 3.14 são semelhantes a algo que Jesus declarou: "Eu lhes digo a verdade: quem ouve minha mensagem e *crê* naquele que me enviou tem a vida eterna. Jamais será condenado, mas já *passou da morte para a vida*" (Jo 5.24). Quando aceitamos Jesus e depositamos nossa fé em Deus por meio dele, nós recebemos vida eterna (como Jesus diz). Mas, quando amamos uns aos outros, *sabemos* que passamos da morte para a vida, pois vemos as evidências (como João diz). A fé em Deus por meio de Jesus e o amor mútuo como cristãos andam juntos. Nossa vida eterna é recebida pela fé e demonstrada pelo amor.

Como sabemos se uma árvore está viva? Procuramos botões, folhas e, depois, fruto. O fruto é sinal de que a árvore tem vida dentro de si. Onde há fruto, há vida. Mas se não há fruto, é possível que a árvore esteja morta.

Como sabemos que uma igreja ou um cristão está vivo? Procuramos amor. Onde há amor, há vida. Quando os cristãos verdadeiramente colocam o amor em prática, é indício e garantia de que a vida de Deus está presente entre eles e dentro deles. Mas quando não colocamos o amor em prática, quando brigamos e discutimos, dividimos e acusamos uns aos outros, o que isso diz a nosso respeito? De acordo com João, se não há amor, não chegamos à vida; continuamos mortos.

O amor é uma questão de vida ou morte.

Para reforçar quanto essa questão é importante, João nos dá dois exemplos, um de cada lado de seu argumento central em 1João 3.14:

- *O exemplo negativo: Caim* (v. 12,15). Caim era cheio de ódio, e o ódio levou à morte. É o que acontece. Diante disso, o versículo 15 faz uma advertência severa: odiar um irmão em Cristo equivale a homicídio (mais uma vez, João fala de modo semelhante a Jesus em Mt 5.21-22). Se as pessoas se dizem cristãs, mas sua vida, suas atitudes e suas palavras são cheias de ódio, João nos adverte que talvez nem sequer tenham vida eterna, não obstante o que digam.
- *O exemplo positivo: Cristo* (v. 16). Cristo era cheio de amor, e seu amor o levou a *entregar* a própria vida (e não tirar a vida de outro, como fez Caim). Portanto, a essência do amor é o sacrifício próprio em favor de outros. Foi assim que Jesus descreveu sua morte vindoura como bom

pastor (Jo 10.11,15). E, como Paulo diz: "Mas Deus nos prova seu grande amor ao enviar Cristo para morrer por nós quando ainda éramos pecadores" (Rm 5.8).

João diz, portanto, que não devemos ser como Caim (nem mesmo em nossos pensamentos), mas como Cristo (não apenas em nossos pensamentos, mas na vida prática, v. 18).

E então, caso imaginemos que o princípio do sacrifício próprio, de entregar a vida por outros (v. 16), seja apenas para os momentos raros e extremos em que talvez tenhamos de *morrer* por alguém, logo em seguida, no versículo 17, João fornece uma ilustração do que ele quer dizer. Ele está falando de oportunidades simples, comuns, cotidianas de mostrar verdadeira generosidade, bondade e cuidado práticos. "Se alguém tem recursos suficientes para viver bem e vê um irmão em necessidade, mas não mostra compaixão, *como pode estar nele o amor de Deus*?" Essa pergunta retórica incisiva tem como resposta esperada: "Não pode estar, não importa o que a pessoa diga". Não podemos dizer que amamos a Deus, ou que seu amor está em nós, se não ajudamos os necessitados quando temos condições de fazê-lo. Podemos até afirmar que amamos a Deus, mas não passa de mentira, como João diz adiante com lógica arrasadora: "Se alguém afirma: 'Amo a Deus', mas odeia seu irmão, é mentiroso, pois se não amamos nosso irmão, a quem vemos, como amaremos a Deus, a quem não vemos?" (4.20).

2. O amor mútuo é evidência de fé

A argumentação de João a respeito do *amor* (de que ele precisa ser provado em ação) é muito semelhante à argumentação de Tiago a respeito da *fé* nesta passagem conhecida:

> De que adianta, meus irmãos, dizerem que têm fé se não a demonstram por meio de suas ações? Acaso esse tipo de fé pode salvar alguém? Se um irmão ou uma irmã necessitar de alimento ou de roupa, e vocês disserem: "Até logo e tenha um bom dia; aqueça-se e coma bem", mas não lhe derem alimento nem roupa, em que isso ajuda? Como veem, a fé por si mesma, a menos que produza boas obras, está morta.
>
> Tiago 2.14-17

Obviamente, João teria concordado, e Paulo também. No entanto, João associa fé e amor de uma forma que os torna tão inseparáveis como fé e boas obras. Aliás, ele os coloca juntos como um só mandamento: "E este é seu mandamento: que creiamos no nome de seu Filho, Jesus Cristo, e amemos uns aos outros, conforme ele nos ordenou" (1Jo 3.23).

Observe que ele diz "este é seu *mandamento*", no singular. Em seguida, porém, ele fala de *duas* coisas! Recebemos a ordem de não apenas crer no nome de Jesus Cristo, o Filho de Deus, mas também de amar uns aos outros; juntos, esses imperativos constituem um mandamento integrado. Se fizermos a primeira coisa (crer), faremos a segunda (amar). Se não estivermos fazendo a segunda coisa (amando uns aos outros), não estamos fazendo a primeira (crendo em Jesus). Não devemos tentar separá-las, pois são *um só* mandamento de Deus: creiam-em-Jesus-e-amem-uns-aos-outros. Andam lado a lado.

O amor uns pelos outros não é apenas evidência da vida de Deus dentro de nós; também é evidência da fé por meio da qual recebemos essa vida. De acordo com Tiago, a fé sem obras é morta. João concordaria e diria que a fé sem amor (provado por meio de boas obras) também é morta; não passa de uma asserção infundada. De fato, visto que "este é seu mandamento", segue-se que, se não demonstrarmos amor prático uns pelos outros, simplesmente desobedecemos aos mandamentos do Jesus em quem afirmamos crer. Que tipo de discípulos somos então?

3. O amor mútuo é evidência de Deus

Um dos versículos mais conhecidos da Bíblia, depois de João 3.16, é "Deus é amor". Como é o caso de todos os versículos bíblicos, é importante lê-lo em seu contexto. Veja-o a seguir, em itálico, em uma passagem maravilhosamente rica a respeito do amor e de Deus:

> Amados, continuemos a amar uns aos outros, pois o amor vem de Deus. Quem ama é nascido de Deus e conhece a Deus. Quem não ama não conhece a Deus, porque *Deus é amor*. Deus mostrou quanto nos amou ao enviar seu único Filho ao mundo para que, por meio dele, tenhamos vida. É nisto que consiste o amor: não em que tenhamos amado a Deus, mas em que ele nos amou e enviou seu Filho como sacrifício para o perdão de nossos pecados. Amados, visto que Deus tanto nos amou, certamente devemos amar uns aos outros. Ninguém jamais viu a Deus. Mas, se amamos uns aos outros, Deus permanece em nós, e seu amor chega, em nós, à expressão plena.
>
> 1João 4.7-12

João diz três coisas fundamentais nessa passagem:

a) Deus é a fonte de todo amor (v. 7-8)

Ele afirma que "o amor vem de Deus". Todo amor humano flui de Deus porque Deus é a fonte de todo amor verdadeiro, uma vez que o amor é sua natureza e seu ser. Isso nos revela algo a respeito de Deus. Ele é amor "que não acaba mais", como diríamos. Em última análise, tudo o que Deus faz ou diz é expressão de seu amor. Quando Deus age com justiça, é expressão de seu amor. Quando Deus age com ira, é seu amor se (e nos) defendendo de tudo o que poderia prejudicar e destruir o mundo e as pessoas que ele criou com amor. A atitude de Deus e seu modo de agir em relação a sua criação é inteiramente de amor. Ou, como diz o salmo 145: "O Senhor [...] é bondoso em tudo que faz" e "O Senhor [...] é cheio de bondade" (Sl 145.13,17). O amor de Deus é a maior de todas as realidades do universo, maior até que o próprio universo.

Sem dúvida, essa passagem nos fala de uma realidade gloriosa a respeito de Deus. Lembre-se, porém, de que acima de tudo João está se dirigindo a seus leitores, e, conforme seu argumento central, quem não ama outros não está ligado a Deus, a fonte de todo amor. De fato, não conhece a Deus e não é filho de Deus.

b) Deus nos deu prova e exemplo de seu amor (v. 9-11)

João volta ao cerne do evangelho. Como sabemos que Deus nos ama? Sabemos porque Deus, o Pai, entregou seu único Filho, e Deus, o Filho, se entregou voluntariamente para nos salvar da morte eterna e nos dar vida eterna. A verdade maravilhosa do evangelho registrada em João 3.16 está logo abaixo da superfície desses versículos.

A cruz é a prova suprema do amor de Deus, o amor do Pai e do Filho. Observe o belo equilíbrio entre 1João 4.9-10, que fala do amor do Pai ao enviar seu Filho, e 1João 3.16, que fala do amor do Filho ao entregar sua vida por nós. Paulo apresenta exatamente a mesma argumentação equilibrada quando fala de Deus, o Pai, como aquele que "não poupou nem mesmo seu próprio Filho, mas o entregou por todos nós" (Rm 8.32) e do "Filho de Deus, que me amou e se entregou por mim" (Gl 2.20).

Mais uma vez, lembre-se do ponto principal. João não está dizendo isso tudo acerca do amor de Deus apenas para nos ensinar uma teologia saudável da expiação. Seu maior objetivo é nos motivar a *imitar* o amor do Pai e do Filho, ao amarmos uns aos outros. Com isso chegamos ao versículo 11, o ápice de sua argumentação nessa passsagem: "Amados, *visto que Deus tanto nos amou,* certamente devemos amar uns aos outros". A cruz não é apenas o meio pelo qual somos salvos; também é o modelo para como devemos viver.

Pedro desenvolve essa mesma argumentação dupla. Ele diz que Jesus "carregou nossos pecados em seu corpo na cruz". Nossos pecados podem ser perdoados graças à morte expiatória de Cristo. Mas, nessa mesma passagem, Pedro escreve: "Cristo sofreu por vocês. Ele é seu exemplo; sigam seus passos" — exemplo de quem sofre sem se vingar e sem revidar (1Pe 2.21-25). De modo semelhante, diz João, o amor de Deus provado na cruz é modelo e exemplo para seguirmos: "*visto que Deus tanto nos amou* [...] *devemos amar*". Simples assim.

Se você está tendo dificuldade de amar outros cristãos (como acontece com frequência, por vários motivos), há duas coisas que deve fazer: primeiro, deve ir até a *fonte de amor*, o próprio Deus, e pedir que seja preenchido pelo amor divino; e segundo, deve olhar para o *modelo de amor*, a cruz de Cristo, e seguir o exemplo dele.

Em seguida, porém, João vai um passo adiante e faz uma declaração ainda mais forte sobre o que acontece quando os cristãos amam uns aos outros.

c) Deus se torna visível por meio de nosso amor uns pelos outros (v. 12)

"Ninguém jamais viu a Deus", escreve João. "Mas, se amamos uns aos outros, Deus permanece em nós, e seu amor chega, em nós, à expressão plena" (1Jo 4.12). Ninguém jamais viu a Deus! Mas e quanto a todas as manifestações de Deus no Antigo Testamento a pessoas como Abraão e Moisés? É verdade que, em certo sentido, Deus se fez visível para eles em forma humana temporária, ou por meio de um anjo. Esses acontecimentos são chamados de "teofanias", literalmente "aparições de Deus". Quando Deus desejava dizer ou fazer algo especialmente importante em um momento da história, "aparecia" a alguém na narrativa. Até mesmo nessas ocasiões, porém, usava-se cautela ao falar de "ver Deus". Eles sabiam que Deus, como de fato é em si mesmo, é invisível. Não faz parte do mundo físico em que vivemos e que podemos ver ao nosso redor. Deus não é um "objeto". Deus é Espírito, o Criador do universo, não uma "coisa" ou um "corpo" que possamos ver com nossos olhos físicos. Nesse sentido, portanto, João diz a verdade ao declarar: "Ninguém jamais viu a Deus".

Contudo, esta é a segunda vez que João escreve essas palavras. A primeira vez foi em seu Evangelho. Logo no início, quando fala sobre a maravilha de como a Palavra eterna de Deus entrou em nosso mundo de espaço e tempo, declara: "Ninguém jamais viu a Deus, mas o Filho único, que mantém comunhão íntima com o Pai, o revelou" (Jo 1.18).

Jesus Cristo, a Palavra que se fez carne, tornou Deus visível. Na pessoa de Jesus Cristo, Deus foi visto, ouvido e tocado. Aliás, João lembra seus leitores dessa verdade no começo da carta: "Proclamamos a vocês aquele que existia desde o princípio, aquele que ouvimos e vimos com nossos próprios olhos e tocamos com nossas próprias mãos. Ele é a Palavra da vida" (1Jo 1.1). Deus, que em si mesmo é invisível, foi visto na vida terrena de Jesus de Nazaré. Como o próprio Jesus disse: "Quem me vê, vê o Pai!" (Jo 14.9).

Talvez digamos: "Certo. Foi ótimo para aqueles que viram Jesus enquanto ele estava aqui na terra. Tiveram a oportunidade extraordinária de ver o Deus invisível revelado na pessoa e na vida de Jesus de Nazaré. Bom para eles. Mas e quanto a todos os outros? E quanto ao restante da raça humana que nunca teve oportunidade de ver Jesus? Deus pode ser visto de algum modo hoje?".

É impressionante que João comece sua segunda declaração exatamente da mesma forma: "Ninguém jamais viu a Deus. *Mas, se amamos uns aos outros,* Deus permanece em nós, e seu amor chega, em nós, à expressão plena". João parece deixar implícito que nosso amor mútuo torna visível o amor de Deus — outra forma de dizer que o próprio Deus é visto, uma vez que Deus é amor. Quando os cristãos amam uns aos outros de maneiras práticas, sacrificiais, custosas e que removem barreiras, o amor de Deus (ou melhor, o Deus que é amor) se torna visível. O mundo deve ser capaz de olhar para os cristãos e para o modo como convivemos e amamos uns aos outros e ver parte da realidade de Deus ser demonstrada. O Deus invisível se torna visível no amor dos cristãos uns pelos outros.

Claro que nenhum de nós é perfeito, e todos nós falhamos em diversos aspectos. Por isso, muitas vezes nos protegemos em certa medida quando dizemos: "Não olhe para mim, ou não olhe para os cristãos; olhe para Jesus". É verdade que jamais devemos nos vangloriar. Também é verdade que desejamos que as pessoas voltem o foco para Cristo, e não para nós. Por vezes, contudo, esse modo de pensar e falar pode ser uma desculpa para que nem sequer tentemos obedecer à ordem de Cristo para amarmos uns aos outros. De acordo com João, o mundo *deve* poder olhar para os cristãos e para as igrejas cristãs e ver algo que comprove a realidade de Deus. O mundo deve ser capaz de ver Deus em ação.

É especialmente o caso quando pessoas que, em outras condições, odiariam e matariam umas às outras, como membros de nações distintas que possuem um histórico de guerra, conseguem mostrar que amam uns aos outros graças ao amor de Deus em Cristo. Durante o genocídio em Ruanda em 1994, estudantes do movimento IFES[1] provenientes das tribos rivais hutu e tutsi foram advertidos para se manterem separados uns dos outros. Em vez disso, formaram um círculo, dando as mãos, orando e dizendo: "Vivemos juntos, unidos por Cristo, e, se necessário, morreremos juntos". E, de fato, muitos deles morreram. Somente o evangelho do amor de Deus pode realizar essa obra. Vemos o evangelho quando um israelense judeu messiânico e um cristão palestino se abraçam em um evento internacional (como aconteceu no Congresso de Lausanne na Cidade do Cabo em 2010). O próprio Deus se torna visível quando seus filhos amam uns aos outros, ainda que o mundo lhes diga que façam o oposto.

Alguns anos atrás, organizações ateístas do Reino Unido pagaram por uma campanha de anúncios nos famosos ônibus vermelhos de Londres. Diziam: "Provavelmente não há Deus, portanto pare de se preocupar e aproveite a vida". Há muitos cristãos em Londres. Teoricamente, um não cristão que lesse

[1] Sigla para International Fellowship of Christian Students [Comunidade Internacional de Estudantes Cristãos]. No Brasil, essa organização é representada pela ABUB, Aliança Bíblica Universitária do Brasil. (N. da T.)

o anúncio poderia dizer: "Não pode ser verdade (que não há Deus), pois conheço Sarah, Nirmala, Sam e Ajith. Eles são cristãos e *Deus obviamente é real e vive neles*".

Devemos ser prova viva do Deus vivo. Ninguém pode ver a Deus. Mas as pessoas podem nos ver. E, quando amamos uns aos outros, o que elas veem é o amor de Deus.

Tudo isso pode parecer bastante positivo, e é. No entanto, precisamos parar e pensar sobre os efeitos negativos quando acontece o oposto, quando cristãos *não amam* ou *não querem amar* uns aos outros e, em vez disso, encontram diversas maneiras de se eximir dessa ordem de Jesus e não dão sinal algum do fruto do Espírito.

De acordo com João, quando as pessoas que afirmam ser cristãs não demonstram indícios desse tipo de amor semelhante a Deus e a Cristo produzido pelo Espírito, acontece o seguinte:

- geram dúvidas quanto a sua identidade de indivíduos nascidos de novo (4.7);
- mostram que não conhecem a Deus de fato (4.8);
- desprezam a cruz de Cristo, pois não vivem como se ela tivesse algo a nos ensinar (4.9-10);
- pior de tudo, mantém Deus invisível (4.12). Escondem o amor de Deus. Ocultam o Deus que é amor e, de si mesmo, não pode ser visto, mas que deseja ser visto por nosso intermédio.

Por todos esses motivos, portanto, frustram a missão de Deus e impedem outros de entrar no reino de Deus, como fizeram aqueles que, nos relatos dos Evangelhos, resistiram a Jesus e o rejeitaram.

Quando os cristãos não amam uns aos outros, não é apenas trágico; é nocivo. É venenoso e mortífero. Frustra a razão de nossa existência. Nossa missão consiste em sermos discípulos e fazermos discípulos, compartilhando e vivendo as boas-novas do evangelho do amor de Deus ao mostrar como ele transforma nossa vida e nossos relacionamentos.

Extraímos todas essas ideias da Primeira Epístola de João. Para concluir, porém, voltemos a Jesus.

4. O amor mútuo é evidência em favor de Jesus

Jesus disse: "Por isso, agora eu lhes dou um novo mandamento: Amem uns aos outros. Assim como eu os amei, vocês devem amar uns aos outros. Seu amor uns pelos outros provará ao mundo que são meus discípulos" (Jo 13.34-35).

Quando os cristãos amam uns aos outros, mostram a quem pertencem. Voltam o foco para Jesus. O amor cristão é incrivelmente transformador e, em muitos contextos, é tão surpreendente e contracultural que só pode ser obra de Cristo, poder do evangelho, fruto do Espírito.

Que aspecto essencial do fruto é esse amor! É absolutamente primordial e preeminente! Quando os cristãos amam uns aos outros,

- provam que têm a vida eterna;
- provam que têm fé salvífica;
- provam que Deus é real;
- provam que são verdadeiros seguidores de Jesus.

Mas, quando não o fazem, o que isso prova?

Perguntas

1. Que relatos bíblicos você poderia usar para ilustrar o tema do amor?
2. Que exemplos você pode dar de seu contexto cultural ou da história para ilustrar o poder do amor de provar a veracidade do evangelho, por exemplo, na reconciliação de inimigos?
3. Se você fosse pregar ou lecionar a respeito do amor como fruto do Espírito de Deus, que reação esperaria de sua igreja ou comunidade? Que sinais há da presença ou ausência desse amor?

2
Alegria

Amor, alegria e paz, os três primeiros itens da lista paulina de aspectos do fruto do Espírito, são um trio inseparável. Jesus associou esses três elementos de modo bastante próximo em suas conversas de despedida com seus discípulos.

> Eu lhes deixo um presente, a minha plena *paz*. E essa paz que eu lhes dou é um presente que o mundo não pode dar. Portanto, não se aflijam nem tenham medo.
>
> João 14.27

> Eu os amei como o Pai me amou. Permaneçam no meu *amor*. Quando vocês obedecem a meus mandamentos, permanecem no meu amor, assim como eu obedeço aos mandamentos de meu Pai e permaneço no amor dele.
>
> João 15.9-10

> Eu lhes disse estas coisas para que fiquem repletos da minha *alegria*. Sim, sua alegria transbordará!
>
> João 15.11

Da mesma forma, a alegria e a paz são uma dupla inseparável. Aparecem como par com ainda mais frequência que o trio amor, alegria e paz. Paulo tem predileção especial por essas duas palavras, alegria e paz. Gosta de dizer coisas como:

> Pois o reino de Deus não diz respeito ao que comemos ou bebemos, mas a uma vida de justiça, *paz e alegria* no Espírito Santo. Se

servirem a Cristo com essa atitude, agradarão a Deus e também receberão a aprovação das pessoas.

Romanos 14.17-18

Que Deus, a fonte de esperança, os encha inteiramente de *alegria e paz*, em vista da fé que vocês depositam nele, de modo que vocês transbordem de esperança, pelo poder do Espírito Santo.

Romanos 15.13

Paulo fala de alegria 21 vezes e de paz 43 vezes em suas cartas! No entanto, vemos nesses versículos de Romanos que, para o apóstolo, alegria e paz não são apenas derivados incidentais da fé cristã. Não são meros sentimentos felizes. Veja o que mais ele diz a respeito desses dois itens apenas nos versículos acima. É uma lista impressionante.

- Alegria e paz são sinais categóricos do reino de Deus, tão importantes como a justiça. São o que acontece quando Deus reina. O governo dele gera alegria e paz verdadeiras.
- Alegria e paz, e não ansiedade cerimoniosa, caracterizam nosso modo de servir e agradar a Deus.
- Alegria e paz são ingredientes essenciais de nossa esperança cristã; devemos ser *cheios* de alegria e paz.
- Alegria e paz são sinais de que o poder do Espírito Santo está transbordando em nossa vida.

Não é de surpreender, portanto, que ele inclua alegria e paz no fruto do Espírito! Essas palavras não descrevem apenas um estado emocional de bom ânimo e contentamento. Referem-se a algo profundo que ocupa o cerne de nossa vida e de nosso testemunho cristão.

Vejamos, primeiro, a alegria. O que alegra você? O que faz seus olhos brilharem? O que faz seu coração disparar? O que o enche de empolgação e prazer e o faz sorrir, gritar, rir ou levantar os braços com exultação e ter vontade de abraçar todos ao redor?

Quando faço essas perguntas para mim mesmo, quatro coisas me vêm à mente de imediato, e cada uma delas é associada a algo bastante verdadeiro acerca da alegria cristã como fruto do Espírito. Estas quatro coisas me dão grande alegria (mesmo que eu não a manifeste de todas as maneiras que acabei de descrever — embora, de vez em quando, seja possível me ver comportando-me dessa forma!):

- Fico cheio de alegria quando estou com minha família, compartilhando o amor que une a todos nós, ou com amigos chegados quando desfruto da companhia deles em uma refeição ou encontro. Ou quando abro a porta da frente e vejo o rosto feliz de nossos netos enquanto saltam de empolgação. Ou quando passo o dia fora com minha esposa. ***Alegria é ter uma família.*** (Se essa declaração parece injusta para quem não tem família, veja o comentário mais adiante.)
- Esse tipo de alegria surge quando recebo boas notícias, especialmente se são inesperadas ou se as aguardava com ansiedade. A alegria se transforma em celebração. Lembro-me de quando recebi o telegrama informando que eu havia sido aceito em Cambridge, depois de tanto estudo e expectativa. Ou do dia (o lugar e o momento estão gravados na memória) em que pedi Elizabeth Brown em casamento e ela aceitou (não que tenha havido muita ansiedade, pois namorávamos havia anos). Ou da alegria

de saber que um ente querido passava bem depois de uma cirurgia ou tinha se recuperado de uma enfermidade grave. Ou da notícia de que nossas filhas estavam grávidas e, em cada caso, de que um bebê saudável havia nascido e que mãe e filho estavam bem. Quando há notícias verdadeiramente boas, celebramos com alegria, como fazemos com nascimentos e aniversários. Muitas culturas celebram essas ocasiões com uma farta refeição festiva. Marcamos nossos momentos de alegria com comidas e bebidas. ***Alegria é ter um banquete.***

- Por vezes, fico cheio de intensa alegria quando estou na igreja adorando a Deus com outros cristãos. Há outras ocasiões em que, infelizmente, o culto pode ser uma experiência um tanto desanimadora. Mas há momentos em que as palavras das Escrituras, ou a música e a palavra de um hino ou cântico são tão ricas e me lembram de modo tão vívido o que Deus fez por mim que meu coração quase arrebenta de alegria. Sei, lá no fundo, que não poderia ser quem sou nem estar onde estou sem a graça perdoadora e o amor acolhedor e diário de Deus. E quando o culto, em especial a música, me lembra disso, há momentos em que não consigo cantar, pois meus olhos se enchem de lágrimas de alegria e minha voz fica embargada de gratidão a Deus. ***Alegria é ter uma fé.***
- E, com frequência, transbordo de alegria quando desfruto a criação de Deus. Amo o prazer de estar vivo no mundo de Deus. Sinto alegria de simplesmente poder correr ou caminhar ao ar livre, ou poder nadar em um lago ou no mar. Para mim, é uma alegria repleta de gratidão a Deus. Esse mundo pertence a Deus, e amo desfrutá-lo, como ele quer que façamos e como os salmos celebram com grande alegria. Mas também faz parte

dessa alegria saber que a criação que hoje desfrutamos é apenas o ventre (o ventre que geme) da nova criação. Portanto, aguardamos com grande expectativa não apenas "ir para o céu", mas ter um corpo ressurreto no novo céu e nova terra que Deus está criando. Que alegria será! E será para sempre! Puxa! ***Alegria é ter um futuro.***

Esses quatro motivos de alegria na vida cotidiana se aplicam de modo ainda maior à alegria que enche o coração do cristão como fruto do Espírito. Vejamos cada um deles.

1. Alegria é ter uma família

Voltemos aos versículos de Romanos (citados acima) em que Paulo ora para que seus leitores sejam enchidos de alegria e paz. A igreja em Roma era constituída de judeus que haviam crido em Jesus como Messias e de gentios que tinham vindo de um contexto inteiramente pagão. Paulo dedica dois capítulos (Rm 14—15) a lhes dizer que aceitem e acolham uns aos outros, pois, em Cristo, Deus os aceitou e os tornou um só povo. Em seguida, recorre a vários textos do Antigo Testamento que convidavam os gentios a louvar aquilo que Deus fez e a se regozijar nessas obras (Rm 15.9-12). A segunda citação diz: "Alegrem-se com o povo dele, ó gentios" (Rm 15.10, que cita Dt 32.43).

Por que Paulo disse aos cristãos gentios em Roma que deviam se regozijar? Que motivos tinham de alegria? Deviam encher-se de alegria porque agora faziam parte de uma nova família: pertenciam ao povo de Deus ("Alegrem-se com o povo *dele*"). Não estavam mais distantes, do lado de fora, no frio; haviam sido incluídos nessa família. Tinham um novo conjunto de relacionamentos graças ao Senhor Jesus Cristo e a sua morte e ressurreição reconciliadoras.

Paulo apresentou essa argumentação de forma ainda mais enfática para os cristãos gentios em Éfeso. Primeiro, lembrou-os de quem costumavam ser antes de crer em Jesus. "Naquele tempo, vocês viviam afastados de Cristo. Não tinham os privilégios do povo de Israel e não conheciam as promessas da aliança. Viviam no mundo sem Deus e sem esperança" (Ef 2.12).

Eram alienados em todos os aspectos possíveis. Não pertenciam ao povo de Deus e não sabiam coisa alguma a respeito do amor, da redenção e das promessas da aliança do Deus de Israel. Não tinham relacionamento algum com Deus nem com o povo de Deus. Não pertenciam à família divina. Sua situação não inspirava muita alegria.

Paulo, então, diz que agora o quadro mudou completamente! "Agora, porém, estão em Cristo Jesus. Antigamente, estavam distantes de Deus, mas agora foram trazidos para perto dele por meio do sangue de Cristo. [...] Portanto, vocês já não são estranhos e forasteiros, mas concidadãos do povo santo e membros da família de Deus" (Ef 2.13,19).

Os que estavam longe foram trazidos para perto. Os que estavam do lado de fora foram trazidos para dentro. Os que eram excluídos da família agora são seus membros. Os gentios se tornaram não apenas cidadãos do povo de Deus (uma metáfora política), mas também membros da casa de Deus (uma metáfora familiar). E, logo adiante, Paulo acrescenta que se tornaram, ainda, lugar de habitação de Deus por meio do Espírito Santo (Ef 2.22; uma metáfora do templo). Sem dúvida esse é um bom motivo para alegrar-se! Quaisquer que sejam os antecedentes ou as circunstâncias dos cristãos, o fato de pertencerem a Cristo lhes dá uma nova família.

Talvez, em uma parte anterior deste capítulo, você não tenha gostado de eu haver começado minha lista de coisas que me dão alegria mencionando minha família. Sei que existem muitas pessoas que, infelizmente, têm pouca ou nenhuma alegria relacionada à família. Existem vários motivos para isso: pais cruéis, casamentos rompidos, solteirice marcada por solidão, perda de entes queridos, brigas, ódio e até mesmo perseguição por familiares não cristãos. Quando alguém pertence a Cristo, porém, mesmo que não tenha a alegria de uma família humana vibrante e amorosa, ou mesmo que tenha sofrido a dor de uma família fragmentada ou abusiva, ou da solidão ou do luto, tem a alegria de uma nova família no meio do povo de Deus. Isso não significa que, de repente, tudo se torna um mar de rosas. Fazer parte da nova família de fé não cura, necessariamente, todas as feridas nem resolve todos os problemas. Mas há alegria em fazer parte da família de Deus em Jesus Cristo em meio à dor, à tristeza e às lutas de uma família humana problemática ou ausente. Essa alegria é mais profunda que um mero sentimento de felicidade porque tudo vai bem. É uma alegria que nasce de saber que somos parte de uma família que jamais perderemos, a família mais antiga da história, a maior família da terra e nossa família por toda a eternidade. Relacionamentos familiares criados e compartilhados por causa de Jesus proporcionam a alegria que é fruto do Espírito.

Duas histórias transbordantes de alegria ilustram esse fato.

Quando o filho pródigo na parábola contada por Jesus regressou ao lar, ele foi aceito e acolhido de volta na família de seu pai, embora a tivesse renunciado, efetivamente, ao partir com sua herança para um país distante. E houve grande alegria e celebração. Jesus contou essa história, juntamente com uma sobre a ovelha perdida e outra sobre a moeda perdida, para mostrar que a alegria de encontrar e trazer de volta não é vivenciada apenas no caso do animal, da moeda ou do filho. Ela é experimentada por Deus e pelos anjos no céu (Lc 15.7,10). Há alegria no céu, e não apenas na terra!

Também temos a história do eunuco etíope em Atos 8. Como eunuco, evidentemente ele não tinha filhos. Havia ido a Jerusalém para adorar o Deus de Israel, como Salomão tinha orado para que estrangeiros fizessem (1Rs 8.41-43). E havia comprado um rolo contendo o livro de Isaías. Estava lendo os versículos que hoje conhecemos como Isaías 53, a respeito do Servo do Senhor que seria morto por nossos pecados. Filipe explica a passagem para ele e o conduz à fé em Jesus. No entanto, gosto de imaginar que, em seguida, Filipe lhe mostra a passagem próxima, em Isaías 56, em que Deus fez uma promessa aos eunucos, que não podiam ter filhos:

> Eu lhes darei, dentro dos muros de minha casa,
> um memorial e um nome
> muito maior que filhos e filhas.
> Pois o nome que lhes darei é permanente;
> nunca desaparecerá!
>
> Isaías 56.5

Em outras palavras, ainda que não pudessem ter família própria, Deus os incluiria em sua família, cujo nome jamais deixaria de existir.

Logo adiante, Deus acrescenta o que fará quando trouxer eunucos e estrangeiros para adorá-lo e quando os fizer pertencer a ele:

> Eu os levarei ao meu santo monte
> e os encherei de alegria em minha casa de oração.
>
> Isaías 56.7

Esse etíope havia ido ao santo monte e ao templo, a casa de oração de Deus. Mas foi ao ouvir as boas-novas a respeito de Jesus, crer nele e ser batizado por Filipe que, de acordo com Lucas, "seguiu viagem cheio de alegria" (At 8.39). Voltou para a África, para seu trabalho no governo da rainha da Etiópia. Agora, porém, tinha uma nova família, pois pertencia a Jesus. Por isso, voltou com alegria. Aliás, não apenas levou o evangelho consigo para a África, mas foi a primeira pessoa no livro de Atos fora do povo judeu na terra de Judá e Samaria a se tornar parte da família de Deus no Messias Jesus, uma família composta de membros de inúmeras nações. Que alegria (especialmente se você é africano)!

2. Alegria é ter um banquete

Alegria como parte do fruto do Espírito é, evidentemente, um termo do Novo Testamento e, como vimos, Paulo usa-o com frequência. No entanto, também é proeminente no Antigo Testamento. Aliás, foi *ordenado* ao povo de Israel que se regozijasse e se alegrasse! Logo, muitos dos cânticos em Salmos convocam o povo para celebrar, cantar, regozijar-se, louvar, dar graças etc. A alegria é muitíssimo presente (bem como algumas sérias expressões de lamento e protesto, visto que a vida por vezes era tão difícil para eles como pode ser para nós).

Havia três festas anuais em Israel: a Páscoa, juntamente com a Festa dos Pães Sem Fermento, a Festa das Semanas (Pentecostes) e a Festa dos Tabernáculos. Você pode ler a respeito dessas celebrações em Levítico 23 e Deuteronômio 16. Eram oportunidades para que todos tivessem um tempo livre, uma vez que eram instruídos a não trabalhar (além do sábado semanal, é claro). Mais que isso, porém, eram instruídos a se alegrar. "Será um tempo de celebração diante do SENHOR, seu Deus, no lugar que ele escolher para habitação do seu nome. [...] Essa festa será um tempo de alegria e comemoração" (Dt 16.11,14). A bênção transbordante de Deus a cada ano devia produzir alegria transbordante, com celebração, comida, bebida e regozijo.

O Antigo Testamento não tem vergonha de celebrar as boas dádivas de Deus. Tudo o que Deus dá deve ser recebido com ação de graças e alegria. Essas bênçãos abrangiam, entre outras coisas, a dádiva da lei; a dádiva anual das colheitas; a palavra de Deus por meio dos profetas; a construção do templo; um novo rei e todas as dádivas comuns da vida diária, como trabalho, amor, casamento, beleza, natureza, pão e vinho. Há tantos motivos para dar graças, tantas coisas para proporcionar alegria. Pergunto-me se, como cristãos, por vezes nos tornamos tão espirituais que nos esquecemos de ter prazer nas dádivas comuns de Deus e não nos permitimos ser enchidos de alegria até transbordar.

Depois, contudo, de afirmar esse fato com veemência, devemos observar que a alegria terrena do Antigo Testamento de banquetear juntos como jubiloso ato de gratidão a Deus é protegida e purificada de duas maneiras.

a) A alegria deve ser moralmente limpa

Deus advertiu Israel para não ser tentado ao tipo de "alegria" devassa das festas cananeias, que incluíam imoralidade sexual, embriaguez, gula e idolatria. O povo tinha recebido duas terríveis lições práticas a respeito dos possíveis resultados desse tipo de "alegria" pecaminosa. Primeiro, houve uma orgia desenfreada ao pé do monte Sinai quando Moisés estava no monte recebendo os Dez Mandamentos (ver Êx 32—34).

A segunda ocasião foi em Moabe, quando foram tentados à imoralidade cultuando a Baal em Peor em decorrência do conselho do vidente pagão Balaão (Nm 25; 31.16). Em contraponto a esses excessos pecaminosos, as festas de Israel deviam ser repletas de diversão e alimento, mas não de imoralidade embriagada. Deviam ser ocasiões das quais a família toda pudesse participar sem constrangimento (Dt 16.14).

Somos capazes de celebrar nossa alegria como cristãos dessa forma? Seremos se seguirmos o exemplo de Jesus, que sabia desfrutar uma boa festa, um banquete de casamento e refeições com amigos (até mesmo com muitas pessoas com as quais ninguém comia). "O Filho do Homem, por sua vez, come e bebe", disse ele, quando o povo contrastou seu exemplo com o de João Batista, criticando-o por comer com cobradores de impostos, prostitutas e pecadores (Mt 11.19). Jesus sabia desfrutar um belo banquete com alimento e bebida sem ser conivente com pecado e imoralidade.

E essa também é a mensagem do restante do Novo Testamento. A Bíblia não nos proíbe de beber vinho, mas proíbe a embriaguez (1Co 5.11; Gl 5.21; Ef 5.18; 1Pe 4.3). Não nos proíbe de desfrutar nosso alimento, mas condena a gula (Pv 23.20-21; Tt 1.12). Não nos proíbe o humor e o riso, mas proíbe "as histórias obscenas, as conversas tolas e as piadas vulgares" (Ef 5.4), do tipo imoral e ofensivo. A Bíblia nos dá amplo espaço e muitos motivos para ter alegria, mas nos adverte a não permitirmos que a celebração se torne degradação.

b) A alegria deve ser socialmente inclusiva

Deus ordenou aos israelitas que tivessem festivais, tirassem dias de folga e fizessem festas com muita comida e bebida, mas também os instruiu a se certificarem de que ninguém fosse excluído. Esse fato é realçado duas vezes nas instruções para as festas em Deuteronômio:

> Será um tempo de celebração diante do Senhor, seu Deus, no lugar que ele escolher para habitação do seu nome. Celebrem com seus filhos e filhas, *com seus servos e servas, com os levitas das suas cidades e com os estrangeiros, órfãos e viúvas que vivem entre vocês.*
>
> Deuteronômio 16.11, repetido no v. 14

Em outras palavras, membros da família israelita não deviam desfrutar um grande banquete enquanto os servos faziam todo o trabalho pesado. Deviam ter o cuidado especial de incluir quem não tivesse *terra* própria para cultivar (levitas e estrangeiros) e quem não tivesse *família* que provesse para eles (órfãos e viúvas).

Encontramos um exemplo concreto desse princípio em ação em Neemias 8. O povo de Israel havia regressado a Judá depois do exílio. Neemias os havia liderado durante a reconstrução do muro ao redor de Jerusalém. Em seguida ele os dirigiu em uma importante cerimônia de renovação da aliança. Como parte desse acontecimento, Esdras fez a leitura da lei em voz alta para o povo e os levitas a traduziram e a explicaram para que todos pudessem entendê-la. Quando os ouvintes começaram a chorar (provavelmente em razão do convencimento de seu pecado e de seu fracasso), Neemias e Esdras os incentivaram a não chorar, mas a se regozijar nessa oportunidade extraordinária de voltar para o Senhor e sua aliança. Neemias instruiu o povo a ir, desfrutar alimentos de festa e celebrar! Acrescentou, contudo, que deviam prover para aqueles que não tivessem comida e bebida. Ninguém devia ser excluído:

> E Neemias prosseguiu: "Vão e comemorem com um banquete de comidas saborosas e bebidas doces e repartam o alimento com aqueles do povo que não prepararam nada. Este é um dia consagrado ao nosso Senhor. Não fiquem tristes, pois a alegria do SENHOR é sua força!".
>
> Neemias 8.10

Jesus argumentou de modo semelhante com seus discípulos. Aliás, ele o fez durante uma refeição e, provavelmente, constrangeu seu anfitrião ao tocar nesse assunto. Advertiu que não deviam oferecer festas apenas para amigos chegados e vizinhos, mas também deviam abrir as portas para aqueles que não costumavam receber esses convites: os pobres, os necessitados e os aleijados (Lc 14.12-14). A meu ver, essa é uma das ordens mais claras de Jesus que muitos de nós desconsideramos com frequência. Sinto-me convencido de minha falha nesse aspecto enquanto escrevo estas palavras.

É triste que festas como o Natal e o Dia de Ação de Graças por vezes sejam a época mais solitária do ano para idosos, para os que não fazem parte da comunidade, moram sozinhos ou, literalmente, não têm onde morar.

Se refletirmos à luz da Bíblia, a alegria que faz parte do fruto do Espírito pode incluir o simples prazer de comer e beber juntos. Alegria é um banquete. Não é de admirar que Jesus tenha usado essa imagem para descrever nosso futuro com ele na nova criação, no banquete messiânico. Nossas refeições festivas, porém, precisam refletir a alegria do Espírito *Santo* e, portanto, ser puras e saudáveis, e não corrompidas por imoralidade, cobiça, gula ou excessos. E precisam ser inclusivas, de modo a garantir que todos os membros da família de Deus participem, e não apenas aqueles dos quais gostamos.

3. Alegria é ter uma fé

A palavra *evangelho*, como você deve saber, significa simplesmente "boas-novas". E *boas*-novas são motivo de alegria, pois, afinal, são boas! Se o evangelho bíblico é a melhor e maior de todas as boas-novas que o mundo já ouviu, não há maior alegria que conhecer o evangelho e crer nele.

O evangelho nos fala das magníficas verdades do que Deus, por seu amor e sua graça, fez por meio de Cristo para salvar o mundo. No evangelho, Deus promete perdão, vida eterna e um futuro repleto de esperança para toda a criação. Essas coisas jamais nos serão tiradas, pois estão arraigadas em quem Deus é e no que ele fez. E estão simplesmente transbordando de alegria! Como não nos alegraríamos se conhecemos as boas-novas e cremos nelas?

Poderíamos dedicar um bocado de tempo aqui apenas desfrutando a amplitude do evangelho bíblico e agradecendo a Deus pela graça que nos é concedida quando cremos em Cristo. Isso porque o evangelho não é apenas uma fórmula ou um mecanismo para chegar ao céu, mas são as boas-novas do relato completo da Bíblia de tudo o que Deus prometeu e realizou por meio de Cristo. Até mesmo um resumo dessas boas-novas deve nos alegrar, como, por exemplo, as palavras do Compromisso da Cidade do Cabo:

a) *Amamos a história que o evangelho conta*. O evangelho anuncia como boas-novas os acontecimentos históricos da vida, morte e ressurreição de Jesus de Nazaré. Como filho de Davi, Rei Messias prometido, Jesus é o único por meio do qual Deus estabeleceu seu reino e operou em favor da salvação do mundo, permitindo que nações de toda a terra sejam abençoadas, como prometeu a

Abraão. Paulo define o evangelho declarando que "Cristo morreu por nossos pecados, como dizem as Escrituras. Ele foi sepultado e ressuscitou no terceiro dia, como dizem as Escrituras. Apareceu a Pedro e, mais tarde, aos Doze". O evangelho declara que, na cruz de Cristo, Deus tomou sobre si, na pessoa de seu Filho e em nosso lugar, o julgamento merecido por nossos pecados. No mesmo extraordinário ato de salvação consumado, vindicado e declarado pela ressurreição, Deus obteve vitória decisiva sobre Satanás, sobre a morte e sobre todos os poderes do mal, nos libertou de seu poder e do medo e garantiu que, no devido tempo, eles serão destruídos. Deus realizou a reconciliação dos crentes consigo e uns com os outros, ultrapassando todas as fronteiras e toda inimizade. Deus também realizou seu propósito de reconciliação suprema de toda a criação e, na ressurreição física de Jesus, nos deu as primícias de uma nova criação. "Em Cristo, Deus estava reconciliando consigo o mundo" (2Co 5.19).[1] Como amamos a história do evangelho!

b) *Amamos a segurança que o evangelho proporciona.* A fé somente em Cristo é o único meio pelo qual somos unidos com Cristo pelo Espírito Santo e considerados justos em Cristo diante de Deus. Justificados pela fé, temos paz com Deus e não mais enfrentamos condenação. Recebemos o perdão de nossos pecados. Nascemos de novo em uma viva esperança ao participarmos da vida ressurreta de Cristo. Fomos adotados como co-herdeiros com Cristo. Tornamo-nos cidadãos do povo de aliança de Deus, membros da família de Deus e lugar de habitação de

[1] Ver também Marcos 1.1,14-15; Romanos 1.1-4; 4; 1Coríntios 15.3-5; Efésios 2.14-18; Colossenses 1.20; 2.15; Hebreus 2.14-15; 1Pedro 2.24.

> Deus. Portanto, ao crer em Cristo, temos plena certeza da salvação e da vida eterna, pois, em última análise, nossa salvação não depende de nós, mas da obra de Cristo e da promessa de Deus. "Nada, em toda a criação, jamais poderá nos separar do amor de Deus revelado em Cristo Jesus, nosso Senhor" (Rm 8.39).[2] Como amamos a promessa do evangelho![3]

A alegria gerada pela fé nessas verdades e promessas magníficas pode estar presente em nossa vida mesmo quando há sofrimento, perda, luto, enfermidade ou acidente e mesmo em situações de perseguição ou martírio. Tais coisas, quer triviais quer terríveis, não têm poder para tirar e não tiram a alegria interior que é fruto do Espírito.

No Antigo Testamento, o livro de Salmos é chamado, em hebraico, de "Os Louvores". E, no entanto, a maior categoria de "louvores" dentro dele consiste em lamentos! Isto é, indivíduos apresentavam para Deus sua dor, sua experiência de injustiça ou opressão, ataques físicos ou verbais, enfermidades graves etc. Seus cânticos eram absolutamente honestos a respeito dessas circunstâncias. Não fingiam que tudo estava bem nem tentavam parecer felizes apesar dos problemas (como talvez nos sintamos pressionados a fazer na igreja). Ainda assim, ao trazerem seu sofrimento à presença de Deus,

[2] Ver também João 20.30-31; Romanos 4; 5.1-2; 8.1-4,31-39; Gálatas 3.26—4.7; Efésios 1.7; 2.19-22; Colossenses 1.13-14; Filipenses 3.1-11; 1Pedro 1.3; 1João 5.12-13.

[3] "Compromisso da Cidade do Cabo", parte 1.8.b-c. O Compromisso da Cidade do Cabo é a declaração do Terceiro Congresso de Lausanne de Evangelização Mundial, realizado na Cidade do Cabo, África do Sul, em outubro de 2010. As referências bíblicas acima fazem parte do texto do documento. Ler todas elas, juntamente com os dois parágrafos, pode proporcionar um alegre estudo bíblico!

conseguiam voltar à esperança, ao louvor e até mesmo à alegria, graças a sua fé inabalável no fato de que Deus é soberano e jamais os abandonaria. Esse tipo de alegria é capaz de lidar com a dor, pois é fruto da fé no Deus vivo.

Pense em Habacuque. Seu país estava enfrentando uma invasão arrasadora que poderia destruir tudo. O profeta tremia de medo diante dessa perspectiva (Hc 3.16). Mesmo nessas circunstâncias, porém, sabia que podia confiar em Deus e se alegrar nele e fez esta extraordinária declaração de fé:

> Ainda que a figueira não floresça
> e não haja frutos nas videiras,
> ainda que a colheita de azeitonas não dê em nada
> e os campos fiquem vazios e improdutivos,
> ainda que os rebanhos morram nos campos
> e os currais fiquem vazios,
> mesmo assim me alegrarei no SENHOR;
> exultarei no Deus de minha salvação!
>
> Habacuque 3.17-18

Jesus instruiu seus discípulos a se regozijar quando fossem perseguidos, uma ordem espantosa, mas que eles cumpriram quando chegou a hora (Mt 5.11-12; At 5.40-41).

Pense, também, no apóstolo Paulo. Algumas das ocasiões em suas cartas em que Paulo escreveu com maior entusiasmo a respeito da alegria foram momentos em que ele próprio estava acorrentado em uma prisão romana malcheirosa, por vezes depois de ter sido açoitado. É bem provável que estivesse com frio, com fome, fraco e sentindo intensa dor. E, no entanto, tinha consigo a alegria do evangelho de Cristo. Certa vez, ele e Silas estavam cantando salmos em uma circunstância como essa (At 16.25)! Até mesmo em terrível sofrimento pessoal,

Paulo era capaz de se regozijar no evangelho e dizer a outros que fizessem o mesmo. E, quando Pedro escreve para os cristãos que estavam sofrendo intensamente sob perseguição, seu capítulo inicial ressoa com "alegria inexprimível e gloriosa" (1Pe 1.6-9). No Novo Testamento, a alegria que é fruto do Espírito, que vem da fé no evangelho, é uma alegria forte, robusta, que o sofrimento não destrói.

Todavia, precisamos ter cuidado neste ponto. Precisamos fazer distinção entre um cristão que sofre com as lutas comuns da vida e talvez precise de ânimo para se apegar à alegria em meio às dificuldades e um cristão que sofre da enfermidade chamada depressão clínica. A depressão pode ser uma doença real e devastadora, com causas físicas e psicológicas e que exige cuidado médico criterioso e competente, como qualquer outra doença. Portanto, se temos uma irmã ou um irmão em Cristo que está sofrendo de depressão medicamente diagnosticada, não o devemos cumprimentar cheios de sorrisos e dizer a ele que se anime, dê a volta por cima e se alegre no Senhor. Atitudes desse tipo podem ser extremamente insensíveis e aumentar o sofrimento, pois "alegrar-se no Senhor" é exatamente o que ele deseja fazer, mas não consegue. A perda de alegria é um dos piores sintomas da depressão. E a recuperação da alegria não é simplesmente questão de "esforçar-se mais". A depressão é uma doença, e não uma falha ou uma fraqueza.

Ao mesmo tempo, conheço vários cristãos que sofrem de depressão, em minha família inclusive, e que dão testemunho do fato de que ainda têm a segurança subjacente da veracidade do evangelho e do amor de Deus. Sabem que Deus é confiável, mesmo quando a vida parece mais sombria que nunca. E saber dessas verdades lá no fundo significa que podem experimentar alegria como *uma realidade ou um fato* objetivo, mesmo quando não a *sentem*. William Cowper sofreu terrivelmente com depressão, e foi em meio a essa experiência que ele escreveu linhas como estas:

> Não julgues o Senhor com teus débeis sentidos,
> Mas confia em sua graça.
> Por trás de sisuda Providência,
> Ele esconde um semblante que sorri.

Por isso a alegria, a alegria cristã como fruto do Espírito, não é apenas uma *emoção*, mas flui do exercício, em nossa mente e em nossa volição, da fé nas promessas de Deus em Cristo.

4. Alegria é ter um futuro

A quarta coisa que mencionei entre meus motivos de alegria é estar ao ar livre, desfrutando a criação de Deus. É claro que podemos e devemos celebrar a criação com alegria! Os salmistas do Antigo Testamento o fizeram com grande vigor e beleza, como, por exemplo, nos salmos 65 e 104. No entanto, a Bíblia não fala apenas do regozijo dos seres humanos na criação. Também diz que toda a criação em si alegra-se e louva a Deus. Não sei como isso acontece ou como Deus recebe essa alegria e esse louvor da criação não humana, mas a Bíblia diz que ele o faz.

Ao mesmo tempo, sabemos que a criação em seu presente estado ainda não é como virá a ser plenamente pelo poder de Deus. A terra é amaldiçoada por causa de nosso pecado, embora saibamos que um dia essa maldição será removida (Ap 22.3). E toda a criação é frustrada em seu propósito de louvar e glorificar a Deus (Rm 8.20). Mas não para sempre! A Bíblia diz que o plano divino de redenção abarca toda a criação. Não seremos *removidos* da terra para sermos salvos, mas sim seremos salvos *juntamente* com toda a criação. Essa é a mensagem de Romanos 8.16-24.

Trata-se de uma verdade bíblica que também remonta ao Antigo Testamento. Isaías diz que Deus já está criando novo céu e nova terra e retrata essa obra com deslumbre, alegria, satisfação e segurança (Is 65.17-25). À luz dessa grande esperança, alguns salmos anteveem o dia em que toda a criação se regozijará unanimemente quando Deus vier para colocar tudo em ordem.

> Alegrem-se os céus e exulte a terra!
> Deem louvor o mar e tudo que nele há!
> Os campos e suas colheitas gritem de alegria!
> As árvores do bosque exultem
> diante do SENHOR, pois ele vem;
> ele vem julgar a terra.
> Julgará o mundo com justiça
> e as nações, com sua verdade.
>
> Salmos 96.11-13

O salmo 98 termina de modo semelhante, mas acrescenta rios e montes que batem palmas e cantam de alegria!

Paulo nos diz, no panorama surpreendente da glória do Senhor Jesus Cristo, o Filho de Deus, que toda a criação ("todas as coisas [...] tanto nos céus como na terra") foi formada por Cristo, é sustentada por ele e foi reconciliada com Deus por meio dele, por seu sangue na cruz (Cl 1.15-20).

A alegria da criação é cristocêntrica do começo ao fim, e o meio pelo qual somos salvos (a cruz de Cristo) também é o meio pelo qual a criação será restaurada. Certamente essa realidade multiplica nossa alegria pelo número dos grãos de areia à beira do mar e de estrelas no céu!

E a Bíblia não termina conosco subindo e partindo para algum outro lugar, mas com Deus descendo para habitar com a humanidade redimida na nova criação (Ap 21.1-5). E, com essa perspectiva, João compartilha conosco sua visão:

> Depois, ouvi todas as criaturas no céu, na terra, debaixo da terra e no mar, cantarem:
>
> "Louvor e honra, glória e poder
> pertencem àquele que está sentado no trono
> e ao Cordeiro para todo o sempre!".
>
> Apocalipse 5.13

Uma vez que estamos destinados a participar da alegria da criação, e uma vez que a criação está destinada a participar de nossa alegria (quando ela e nós finalmente formos redimidos pela graça de Deus), podemos experimentar essa alegria no presente, enquanto a aguardamos com expectativa. Alegria repleta de esperança de um futuro maravilhoso para toda a criação — para nós inclusive.

Uma consideração final

Se a alegria é um elemento essencial da vida dos cristãos cheios do Espírito Santo de Deus e que produzem o futuro do Espírito, *por que, com tanta frequência, está ausente de nossa vida*? Por que, muitas vezes, os cristãos são tão tristes?

Talvez porque simplesmente *esquecemos*. É fácil ficar cansado e irritado e, depois, cair em autocomiseração. E a autocomiseração é a grande inimiga da alegria. Precisamos nos recordar das verdades magníficas do evangelho registradas na Bíblia. Precisamos repassá-las em nossa mente até percebermos como é incoerente dizer que *cremos* nessas verdades maravilhosas do evangelho e, em seguida, andar por aí cheios de tristeza, sentindo pena de nós mesmos e espalhando melancolia para todos ao nosso redor. De minha parte, preciso falar severamente comigo mesmo a esse respeito com bastante frequência, pois sou tentado com facilidade a me sentir desanimado e a ter pena de mim mesmo. Então, arrependo-me, recordo-me do evangelho da graça de Deus e peço em oração para que o Espírito Santo dê fruto em minha vida e em meu modo de pensar.

Ou talvez seja porque desconfiamos da alegria. Talvez digamos que a vida é repleta de assuntos sérios. E é verdade. Talvez imaginemos que o cristianismo é mais que riso. Também é verdade. Mas isso não significa que não devemos ter o coração cheio de alegria quando nossa vida está cheia do Espírito Santo. Afinal, a Bíblia mostra claramente que Deus não apenas *deseja* que tenhamos alegria, mas *ordena* que sejamos alegres! Parece estranho dizer que "a alegria é um dever", mas é um feliz dever! Paulo teve gosto em repetir a ordem, portanto sejamos obedientes!

"Alegrem-se sempre no Senhor. Repito: alegrem-se!" (Fp 4.4).

Perguntas

1. Quais são os principais motivos de grandes e alegres celebrações em sua cultura? Os cristãos podem participar delas ou são contrárias ao ensino bíblico? Em que aspectos?
2. O evangelho transformou alguma das festas de sua cultura em ocasião para alegria cristã?
3. Há diferença entre a alegria como fruto do Espírito e bom ânimo e felicidade comuns? Em caso afirmativo, a que se deve essa diferença?
4. Você conhece pessoas (talvez até você mesmo) que sofreram intensamente e, no entanto, ainda demonstraram alegria na fé?

3
Paz

"Vá embora e me deixe em paz!"

"Preciso de um pouco de paz e sossego."

Essas são expressões comuns de frustração no tumulto da vida. Ao que parece, não há muita paz para nós. Há famílias exigentes para administrar, ou estresses e pressões no trabalho para suportar. Há relacionamentos tensos com os quais precisamos lidar, ou, talvez, relacionamentos abusivos. Há ansiedades a respeito da vida, no futuro imediato ou distante. O tempo todo, a agitação e as muitas atividades da vida nos envolvem como um redemoinho. Esse alvoroço é multiplicado pela invasão aparentemente inescapável da internet, de *e-mails*, de redes sociais etc.

Paz? Quem dera...

E, no entanto, "paz" é uma daquelas palavras formidáveis da Bíblia. No Antigo Testamento, é o termo belo e complexo *shalom*: bem-estar geral, ausência de medo e de necessidade e contentamento no relacionamento com Deus, com outros e com a criação. Paz em meio à tempestade é a dádiva de Deus para seu povo (Sl 29.11). Paz é a promessa de Deus, quando amor, justiça, verdade e paz se abraçam e céu e terra estão em harmonia (Sl 85.8-10). Jesus e Paulo usavam o termo "paz" várias vezes por dia nas saudações habituais a outros judeus ("paz seja com vocês"), como ainda é o caso entre judeus e entre árabes. É uma palavra rica, sonora e profundamente expressiva.

Todavia, quando Paulo coloca a paz em terceiro lugar no fruto do Espírito, o que ele tem em mente? O apóstolo fala de paz com frequência em suas cartas, e podemos distinguir vários usos que ele faz desse termo. Nem todos são exatamente aquilo que ele inclui no fruto do Espírito, mas, ainda assim, é proveitoso observar as diferentes dimensões do termo e focalizar aquelas que Paulo espera ver em desenvolvimento como fruto em nossa vida.

1. A paz que Deus fez

Por vezes, Paulo fala de paz como algo que Deus, e somente Deus, realizou. Isso significa que a paz é resultado da grande obra de expiação concretizada por Deus por meio de Jesus Cristo na cruz e na ressurreição. Uma das explicações mais claras está em Efésios 2. Coloquei as locuções com "paz" em itálico:

> Não esqueçam que vocês, gentios, eram chamados de "incircuncidados" pelos judeus que se orgulhavam da circuncisão, embora ela fosse apenas um ritual exterior e humano. Naquele tempo, vocês viviam afastados de Cristo. Não tinham os privilégios do povo de Israel e não conheciam as promessas da aliança. Viviam no mundo sem Deus e sem esperança. Agora, porém, estão em Cristo Jesus. Antigamente, estavam distantes de Deus, mas agora foram trazidos para perto dele por meio do sangue de Cristo.
>
> Porque *Cristo é nossa paz*. Ele uniu judeus e gentios em um só povo ao derrubar o muro de inimizade que nos separava. Ele acabou com o sistema da lei, com seus mandamentos e ordenanças, *promovendo a paz* ao criar para si, desses dois grupos, uma nova humanidade. Assim, ele os reconciliou com Deus em um só corpo por meio de sua morte na cruz, eliminando a inimizade que havia entre eles.

> Ele *trouxe essas boas-novas de paz* tanto a vocês que estavam distantes dele como aos que estavam perto. Agora, por causa do que Cristo fez, todos temos acesso ao Pai pelo mesmo Espírito.
>
> Efésios 2.11-18

Observe que Paulo usa o termo "paz" três vezes. Primeiro, "Cristo é nossa paz", ou seja, a paz que temos como inimigos reconciliados nós a temos em Cristo. E só é desse modo porque, segundo, ele "[promoveu] a paz" ao derrubar por meio da cruz a barreira de inimizade que dividia gentios e judeus. Então, terceiro, pela pregação dos apóstolos, Cristo veio e "trouxe essas boas-novas de paz" àqueles que antes estavam distantes.

Nesse contexto, portanto, Paulo fala da paz definitiva obtida pela obra de Deus por meio de Cristo na cruz. É algo que Deus fez por nós. Não se trata da paz como fruto do Espírito em nossa vida. A paz como fruto do Espírito diz respeito a nosso caráter aqui e agora, e não à ação de Deus no passado. Embora esse aspecto da paz — a paz que Deus fez — seja absolutamente fundamental para o evangelho, provavelmente não é o que Paulo tem em mente quando fala de paz como um aspecto do fruto do Espírito em Gálatas 5.

2. A paz que Deus dá

Talvez, então, Paulo tenha em mira *a paz que Deus dá* e que tem duas dimensões. Existe paz *com* Deus e paz *de* Deus.

a) Paz com Deus

Esta é a declaração paulina tão apreciada no início de Romanos 5: "Portanto, uma vez que pela fé fomos declarados justos, *temos paz com Deus* por causa daquilo que Jesus Cristo, nosso

Senhor, fez por nós. Foi por meio da fé que Cristo nos concedeu esta graça que agora desfrutamos" (Rm 5.1-2).

Quando cremos em Jesus, que morreu por nossos pecados, sabemos que passamos a ter um relacionamento correto com Deus, o que nos dá paz. A paz com Deus significa paz de coração e consciência, ausência de culpa e de medo. Não precisamos mais ficar ansiosos quanto ao veredicto de Deus no último dia. Em Cristo, somos declarados justos e estamos entre aqueles que pertencem à família de Deus. Tudo isso por causa da graça divina. É uma realidade maravilhosa e, talvez, um pouco mais próxima do significado de paz como aspecto do fruto do Espírito. Pois, a menos que estejamos em paz com Deus pela fé, o Espírito Santo de Deus não está operando em nossa vida. Uma vez, porém, que nosso relacionamento com Deus é resolvido, o Espírito de Deus derrama sua nova vida em nossa vida, e essa vida de Deus começa a dar fruto.

b) A paz de Deus

No entanto, a paz que Deus nos dá não é apenas paz *com Deus*; também é paz *de Deus*. Significa paz de espírito, ausência de ansiedade e de pânico. Jesus disse que não devemos nos preocupar, mas confiar em nosso Pai celeste. Suas palavras descrevem uma condição de paz que reflete a presença do Espírito de Deus:

> Por isso eu lhes digo que não se preocupem com a vida diária, se terão o suficiente para comer, beber ou vestir. A vida não é mais que comida, e o corpo não é mais que roupa? Observem os pássaros. Eles não plantam nem colhem, nem guardam alimento em celeiros, pois seu Pai celestial os alimenta. Acaso vocês não são muito mais valiosos que os pássaros? Qual de vocês, por mais preocupado que esteja, pode acrescentar ao menos uma hora à sua vida?

E por que se preocupar com a roupa? Observem como crescem os lírios do campo. Não trabalham nem fazem roupas e, no entanto, nem Salomão em toda a sua glória se vestiu como eles. E, se Deus veste com tamanha beleza as flores silvestres que hoje estão aqui e amanhã são lançadas ao fogo, não será muito mais generoso com vocês, gente de pequena fé?

Portanto, não se preocupem, dizendo: "O que vamos comer? O que vamos beber? O que vamos vestir?". Essas coisas ocupam o pensamento dos pagãos, mas seu Pai celestial já sabe do que vocês precisam. Busquem, em primeiro lugar, o reino de Deus e a sua justiça, e todas essas coisas lhes serão dadas.

Portanto, não se preocupem com o amanhã, pois o amanhã trará suas próprias inquietações. Bastam para hoje os problemas deste dia.

Mateus 6.25-34

Paulo repete o ensino de Jesus e o associa explicitamente à paz que Deus dá:

Não vivam preocupados com coisa alguma; em vez disso, orem a Deus pedindo aquilo de que precisam e agradecendo-lhe por tudo que ele já fez. Então vocês experimentarão a paz de Deus, que excede todo entendimento e que guardará seu coração e sua mente em Cristo Jesus.

Filipenses 4.6-7

Essa não é uma simples atitude indiferente ou despreocupada. Antes, é uma firme confiança no cuidado paterno de Deus e uma recusa constante de dar lugar às ansiedades. É um ato de volição, em que *escolhemos* não nos preocupar, mas orar e confiar em Deus. E a Bíblia inteira nos garante que Deus é digno de confiança. Fique em paz.

De volta ao chamado "mundo real", o mundo agitado de trabalho diário, é possível encontrar "paz"? Podemos ter paz em meio às tensões da vida aqui e agora, no local de trabalho ou em casa? Paulo não apenas responderia "sim, podemos", mas creio que acrescentaria que *exatamente nessa realidade a paz é mais importante*. Isso porque a vida repleta desse tipo de paz é um poderoso testemunho do evangelho. É no lar não cristão ou no local de trabalho que a pessoa que vive com a paz de Deus em seu coração e trabalha para criar ou restaurar a paz entre outros se destaca e é notada.

Alegria e paz andam juntas, como mencionamos no capítulo anterior. O cristão será notado (e, com frequência, lhe farão perguntas) se tiver o tipo de alegria que não é afetado por acessos de desespero cínico e negatividade que podem facilmente se propagar no local de trabalho. De modo igualmente importante, sua alegria não decorre de se deixar levar por excessos ocasionais de bebida e comida. Em vez disso, ele tem uma condição de alegria interior que pode ser percebida mesmo em momentos de dor, perda ou sofrimento; uma alegria subjacente que não depende de álcool, sexo ou dinheiro.

Da mesma forma, o cristão que tem paz, que não é atormentado por ansiedade nem motivado por ambição inescrupulosa, que não fica arrasado quando não é promovido e não se desespera diante da ameaça ou realidade de perder o emprego, mas que tem paz interior decorrente da confiança em Deus, esse cristão dá testemunho silencioso do Senhor Jesus Cristo. É semelhante a Cristo em sua confiança no Pai celeste em meio a tudo o que a vida traz, até mesmo às dificuldades.

Cultivar o fruto do Espírito não é lustrar nossa auréola ou manter uma boa imagem. Esse tipo de atitude é tola e hipócrita, e todos (sobretudo Deus) enxergam a verdade. Cultivar o fruto do Espírito é tornar Cristo visível e o evangelho, atraente.

3. A paz que Deus requer

Pensamos na paz que Deus estabeleceu (por meio da cruz de Cristo) e na paz que Deus dá (paz de espírito e de consciência). Há, contudo, um terceiro tipo: *a paz que Deus nos chama a praticar em nosso modo de vida*. Deus nos chama a *viver em paz* com outros, a *trabalhar pela paz* entre cristãos e, de fato, no mundo mais amplo. Esse é, de longe, o uso mais frequente que Paulo faz do termo e é quase certo que seja o tipo de paz que ele tem mente na lista de aspectos do fruto do Espírito em Gálatas 5.22.

Uma vez que Deus estabeleceu paz entre ele e nós (a um altíssimo preço, por meio da morte de Jesus na cruz), agora nos exorta a viver em paz uns com os outros como forma de "concretizar" o poder transformador da cruz em nossa vida prática. No entanto, não é algo que nos ocorre naturalmente em nosso estado decaído de pecado e divisão. É algo que precisa ser cultivado como um fruto — o fruto do Espírito de Deus operando dentro de nós e entre nós. Por isso Paulo descreve a paz como fruto e, ao mesmo tempo, diz que, no que depender de nós, vivamos "em paz com todos" (Rm 12.18).

Uma excelente forma de refletirmos sobre essa instrução é voltar ao texto em que encontramos alegria e paz intimamente associadas: Romanos 14.1—15.13. Pode ser proveitoso fazer uma pausa e ler a passagem inteira. Ler a Bíblia é sempre melhor que ler qualquer outro livro, este inclusive! Depois de ler a passagem, mantenha a Bíblia aberta nesse texto enquanto lê o restante do presente capítulo.

Paulo estava escrevendo para cristãos na grande e cosmopolita cidade de Roma. Muitos tinham vindo de um contexto gentio e pagão. Não tinham nenhuma preocupação com alimentos ou dias santos específicos. Alguns dos cristãos em Roma, contudo, eram judeus que tinham abraçado a fé em Jesus como Messias. Havia uma enorme diferença entre esses grupos, embora todos os seus membros fossem crentes em Jesus e fizessem parte da mesma igreja. Vinham de culturas e contextos religiosos diferentes. Alguns não viam problema em continuar a comer qualquer tipo de carne do açougue, como sempre haviam feito. Outros ficavam horrorizados porque consideravam esse tipo de carne impura e idólatra. Alguns desejavam observar o sábado, como sempre tinham feito. Outros não se importavam que dia era; tinham de trabalhar todos os dias da semana (especialmente se eram escravos), então que diferença fazia guardar o sábado?

Ao que parece, os cristãos de contexto gentio se consideravam "fortes" (ou seja, tinham uma fé robusta e sabiam que alimentos e dias não afetavam sua salvação e seu relacionamento com Cristo). É possível que chamassem os cristãos judeus de "fracos", pois ainda eram apegados aos costumes e cuidados judaicos e, por exemplo, comiam apenas legumes para evitar contaminações decorrentes de carne ritualmente impura ou sacrificada a ídolos.

Essas coisas não eram secundárias. Talvez pensemos: "Por que fazer tempestade em copo de água por causa de carne ou legumes! Que importa?". Mas importava para eles — e muito —, especialmente para os cristãos judeus. Essas diferenças de antecedentes estavam causando um bocado de divergência e conflito teológico e prático. Contudo, Paulo dedica um capítulo e meio a instar ambos os lados a aceitarem um ao outro e evitarem brigas sobre questões controversas. Observe que Paulo toma por certo que haverá questões controversas em qualquer grupo de cristãos. Nem sempre concordaremos a respeito de tudo. A vida é assim mesmo. O fundamental, porém, não é *concordar* em tudo, mas *aceitar* uns aos outros, até mesmo aqueles que têm uma opinião diferente, pois sabemos que o outro é irmão na fé e ama o Senhor Jesus Cristo como nós. Paulo começa a passagem da seguinte forma:

> Aceitem os que são fracos na fé e não discutam sobre as opiniões deles acerca do que é certo ou errado. Por exemplo, um irmão crê que não é errado comer qualquer coisa. Outro, porém, que é mais fraco, come somente legumes e verduras. Quem se sente à vontade para comer de tudo não deve desprezar quem não o faz. E quem não come certos alimentos não deve condenar quem o faz, pois Deus os aceitou.
>
> Romanos 14.1-3

Logo de início, ele declara categoricamente que devem evitar duas atitudes opostas que podem, facilmente, contaminar qualquer igreja cristã. Diz o apóstolo no versículo 3:

- *Nada de desprezo!* Os cristãos gentios não devem zombar dos cristãos judeus por guardarem regras e terem escrúpulos aparentemente ultrapassados a respeito de alimentos e dias; e
- *Nada de condenação!* Os cristãos judeus não devem condenar os gentios por seu comportamento aparentemente (para os judeus) livre e despreocupado demais.

Antes, Paulo ordena: "Tenhamos como alvo a harmonia" (14.19). Essa é sua instrução fundamental na passagem toda. O apóstolo a reforça com uma ampla gama de argumentos que devemos considerar com grande seriedade. Leia os versículos relacionados em cada subseção abaixo. Quero que você preste mais atenção em Paulo que em mim!

a) Estamos sujeitos ao mesmo Senhor (14.1-10)

Essa é a tônica da primeira parte da argumentação de Paulo e tem vários aspectos.

i. Fomos aceitos pelo mesmo Senhor (14.3; 15.7). Quaisquer que sejam nossas opiniões sobre assuntos diversos, fomos aceitos por Deus em Cristo. Aliás, o cerne do evangelho consiste no fato de que Deus não apenas aceitou tanto judeus como gentios em Cristo, mas também uniu todos eles em uma só humanidade, como Paulo explica em Efésios 2. Devemos, portanto, compartilhar o mesmo evangelho, e esse evangelho nos tornou um só corpo. Se rejeito outra pessoa que crê em Jesus como Senhor e Salvador, recuso-me a encontrar com ela ou a condeno, digo, efetivamente: "Deus pode tê-la aceitado, mas eu não a aceito. Cristo pode tê-la acolhido, mas eu não a acolho". Esse é um pecado sério contra o próprio evangelho.
ii. Somos todos servos do mesmo Senhor, de modo que não temos direito algum de julgar uns aos outros (14.4). Somente Deus (nosso Senhor) tem o direito de julgar cada um de nós, e ele o fará. Portanto, não devemos assumir uma atitude julgadora que cabe somente a Deus.
iii. Todos nós vivemos "para honrar o Senhor" em todas as coisas da vida e, na verdade, tanto na vida como na morte (14.5-9). Portanto, não importa o que façamos, deve ser feito em *sua* presença, sujeito a *sua* aprovação, e não para agradar outros.
iv. Em última análise, todos nós prestamos contas somente a Deus como Juiz (14.10-12). Ao olharmos para o futuro, para aquele dia de julgamento, nossas diferenças

aqui e agora devem começar a parecer muito menos importantes. Quando estivermos diante do trono de Deus, que diferença fará eu ter sido um carismático repleto de entusiasmo enquanto você aderiu a um estilo de culto mais sóbrio? Que diferença fará eu ter sido um brasileiro pentecostal enquanto você foi um inglês anglicano? Que diferença fará eu ter imaginado que o milênio devia anteceder a volta de Cristo enquanto você acreditava que já havia acontecido? Que diferença fará eu ter sido uma mulher africana que pregou o evangelho, plantou igrejas e ensinou milhares a serem discípulos enquanto você imaginou que, como mulher, eu não devia fazer nada disso? E se coisas como essas não importarão *naquele dia*, diante do tribunal de Cristo, por que deixamos que importem tanto *agora* a ponto de nos dividirem em campos de batalha?

b) Somos constrangidos pelo amor (14.13-23)

O que Paulo escreve aqui é bastante parecido com seu ensino em 1Coríntios 8 e 10 a respeito de carne sacrificada a ídolos. Paulo diz que os cristãos têm liberdade em relação ao que comem e bebem, pois, em última análise, todo alimento vem de Deus e pode ser recebido com ação de graças. No entanto, ostentar sua liberdade diante de outro cristão, sem qualquer sensibilidade quanto à consciência dele a esse respeito, é deixar de exercer amor cristão, um pecado sério. Isso porque quando pecamos contra outro cristão, na verdade pecamos contra Cristo (1Co 8.12).

Paulo não está dizendo que todos devem simplesmente se conformar à pessoa com mais escrúpulos. Essa abordagem pode se tornar extremamente manipuladora em uma comunidade cristã. Todos condescendem com os mais fracos e, portanto, paradoxalmente, os mais fracos exercem imenso poder! O que Paulo diz em 14.14 pressupõe espaço para ajudar outros a alcançarem um entendimento do que significa (e não significa) ser cristão. Todos nós precisamos instruir nossa consciência por meio do estudo contínuo das Escrituras, da oração e da comunhão. Essas práticas nos ajudam a encontrar um equilíbrio melhor entre situações em que podemos agir com maturidade e liberdade e situações em que precisamos exercitar comedimento e sensibilidade. E esse equilíbrio nunca é fácil! Muitas vezes pensamos ou perguntamos: "Onde devo traçar o limite?". Não há resposta fácil. Não devemos, contudo, ser obcecados com a ideia de "traçar limites" a ponto de dividirmos o corpo de Cristo e nos esquecermos da missão que devemos realizar para ele. O amor pelo qual vivemos é mais importante que os limites que traçamos.

c) *Devemos ser moldados pelo exemplo de Cristo (15.1-8)*

Paulo chega ao ápice de sua argumentação ao voltar nossos olhos, mais uma vez, para Jesus Cristo. Suas palavras em 15.2 são semelhantes a Filipenses 2:

> Não sejam egoístas, nem tentem impressionar ninguém. Sejam humildes e considerem os outros mais importantes que vocês. Não procurem apenas os próprios interesses, mas preocupem-se também com os interesses alheios. Tenham a mesma atitude demonstrada por Cristo Jesus.
>
> Filipenses 2.3-5

Nas duas passagens, ele apresenta Jesus como exemplo daquilo que ele nos instrui a fazer: "Pois Cristo não viveu para agradar a si mesmo. Como dizem as Escrituras: 'Os insultos dos que te insultam caem sobre mim'" (Rm 15.3).

Essa é uma citação do salmo 69, que retrata sofrimento injusto. Mas enquanto o salmista pediu julgamento de Deus sobre aqueles que o atormentavam (Sl 69.7-8), Jesus pediu a seu Pai que perdoasse aqueles que o estavam crucificando. E Paulo diz que devemos seguir o exemplo de Jesus, como fez Estêvão, o primeiro mártir cristão (At 7.59-60). Logo, nos versículos 4 e 13, Paulo associa o exemplo de Jesus às Escrituras e o torna parte da receita para ser cheio de esperança, paz e alegria.

No entanto, Paulo vai ainda mais longe e transforma seu ensino em uma oração fervorosa:

> Que Deus, aquele que concede paciência e ânimo, os ajude a viver em completa harmonia uns com os outros, como convém aos seguidores de Cristo Jesus. Então todos vocês poderão se unir em uma só voz para louvar e glorificar a Deus, o Pai de nosso Senhor Jesus Cristo.
>
> Romanos 15.5-6

O apóstolo mostra o que significa a verdadeira paz entre cristãos (quando se aceitam mutuamente e se esforçam para viver em paz uns com outros, mesmo ao discordarem). Significa que têm a mente de Cristo. Significa que podem, de fato, cantar com uma só voz em seus cultos. E significa que glorificarão a Deus, o Pai. Tudo isso parece maravilhoso. Porém, quando pensamos no oposto em cada caso, soa um forte alerta.

Quando lutamos e condenamos uns aos outros, quando censuramos outros cristãos, quando nos separamos deles e cultivamos divisões de toda espécie dentro da igreja:

- não temos a mente de Cristo;
- transformamos em zombaria a ideia de cantar "a uma só voz" em nossos cultos;
- privamos Deus de sua glória.

A paz, conforme Paulo a descreve, é algo extremamente sério. Não é apenas um sentimento agradável e feliz. Está no cerne do evangelho e da glória de Deus. Por certo, Paulo diria o mesmo com igual severidade para as igrejas de hoje, nas quais parece haver interminável condenação de outros cristãos que veem as coisas de forma diferente de nós. E provavelmente acrescentaria o que disse aos gálatas: "Mas, se vocês estão sempre mordendo e devorando uns aos outros, tenham cuidado, pois correm o risco de se destruírem" (Gl 5.15).

Para o apóstolo, buscar a paz e viver em paz são parte muito importante do convívio entre os cristãos. E, caso você imagine que dediquei tempo demais a essa seção de Romanos 14—15, foi somente porque é a passagem na qual Paulo expande e explica o tema de forma bastante detalhada. Veja, contudo, quantas outras vezes ele diz a mesma coisa de modo mais sucinto:

- Romanos 12.18: "No que depender de vocês, *vivam em paz* com todos".
- 1Coríntios 7.15 (no contexto do casamento): "Deus os chamou para *viver em paz*".
- 2Coríntios 13.11 (no contexto de divisões na igreja): "Cresçam até alcançar a maturidade. Encorajem-se mutuamente. *Vivam em harmonia e paz*. Então *o Deus de amor e paz* estará com vocês".
- Efésios 4.3: "Façam todo o possível para se manterem unidos no Espírito, *ligados pelo vínculo da paz*".

- Colossenses 3.15: "Permitam que a *paz de Cristo* governe o seu coração, pois, como membros do mesmo corpo, vocês são *chamados a viver em paz*".

O que significa praticar a paz dessa forma, cultivar esse aspecto do fruto do Espírito em nossa vida?

No mínimo, deve significar que:

- procuramos tratar de conflitos entre nós e resolvê-los, em vez de alimentá-los (ou causá-los);
- precisamos ter o cuidado de evitar palavras e atitudes que, facilmente, criam mal-entendidos e divisão;
- temos de nos apressar em pedir perdão (mesmo que, estritamente falando, não estejamos errados!). É possível que as palavras "me perdoe" sejam as mais difíceis de dizer, mas, com frequência, são as primeiras a nos conduzir de volta à paz;
- não reagimos de imediato para nos defender quando alguém diz ou faz algo contra nós; antes, permitimos que Deus mostre a verdade a seu tempo. Paulo diz que é melhor sofrer injustiça que levar outros cristãos ao tribunal;
- precisamos seguir de perto as instruções de Jesus a respeito de como irmãos em Cristo devem tratar das ofensas que cometem uns contra os outros (Mt 18.15-17), em vez de simplesmente tornar público na imprensa, em *blogs*, redes sociais etc., nosso problema com outras pessoas;
- acima de tudo, devemos evitar todo tipo de fofoca e aprender a disciplina rígida de guardar segredos.

Talvez a melhor maneira de encerrar este capítulo seja com a oração que costuma ser atribuída a São Francisco de Assis (embora, na verdade, o autor seja desconhecido).

Senhor! Fazei de mim um instrumento de vossa paz;
onde houver ódio, que eu leve o amor;
onde houver ofensa, que eu leve o perdão;
onde houver dúvidas, que eu leve a fé;
onde houver desespero, que eu leve a esperança;
onde houver trevas, que eu leve a luz;
onde houver tristeza, que eu leve a alegria.
Ó Mestre Divino,
fazei que eu procure mais consolar, que ser consolado;
compreender, que ser compreendido;
amar, que ser amado;
pois é dando que recebemos;
é perdoando que somos perdoados;
e é morrendo que nascemos para a vida eterna.
Amém.

Perguntas

1. Que relatos bíblicos você pode usar para ilustrar o poder da reconciliação e da promoção da paz?
2. Você consegue se lembrar de situações em sua igreja ou em sua cultura em que cristãos tenham sido fundamentais para promover paz e reconciliação?
3. No momento, há conflitos e divisões dentro de sua igreja ou na comunidade cristã de seu país? Considere como poderia preparar uma série de sermões ou estudos bíblicos sobre Romanos 14—15 a fim de trabalhar para desenvolver paz e reconciliação.
4. A seu ver, como sua vida demonstra paz como fruto do Espírito e em que aspectos você precisa orar para que reflita ainda mais paz no futuro?

4
Paciência

Amor, alegria, paz.

Os três primeiros itens da lista de aspectos do fruto parecem bastante espirituais, quase celestiais e, no mínimo, ótimos para os domingos. No entanto, o item seguinte, "paciência", nos traz de volta à terra na segunda-feira. Como é conviver conosco no restante de semana? De que maneira lidamos com as pressões na correria e nas dificuldades da vida?

A palavra que Paulo usa significa, literalmente, "de longo ânimo". Nas versões mais antigas da Bíblia é traduzida por "longanimidade", uma daquelas palavras antiquadas que merecem continuar em uso. Hoje em dia, costuma ser traduzida por "paciência", com o sentido de tolerar algo. Na verdade, são necessários os dois termos para captar o sentido completo da palavra que Paulo usa. A paciência como parte do fruto Espírito significa:

- capacidade de *suportar por longo tempo* qualquer oposição e sofrimento que a vida traga e demonstrar *perseverança* sem desejo de retaliação ou vingança;
- capacidade de *tolerar* as fraquezas e os defeitos de outros (cristãos inclusive) e demonstrar *paciência* em relação a eles, sem nos irritarmos com rapidez ou nos irarmos a ponto de desejarmos revidar.

Paciência é, portanto, uma palavra difícil. Exige força e perseverança e depende da capacidade de exercermos controle sobre nossas reações a outros. Nada disso é simples. Não nos ocorre naturalmente, motivo pelo qual precisamos que o Espírito de Deus produza paciência em nossa vida.

Mas, antes de pensarmos em como *nós* devemos nos comportar, devemos refletir sobre a paciência de Deus. Lembre-se de que, quando falamos sobre fruto do *Espírito,* significa que o caráter de Deus está produzindo fruto em nosso caráter. A vida de Deus está operando em nossa vida.

1. A paciência de Deus no Antigo Testamento

Talvez não lhe venha à mente de imediato a paciência de Deus no Antigo Testamento. Muitos pensam que o chamado "Deus do Antigo Testamento" estava sempre irado, ou se enchia de furor de modo repentino. Sem dúvida, há exemplos espetaculares da ira de Deus contra o pecado e a presunção de seu povo. Na verdade, porém, Deus se identificou e se descreveu para Moisés da seguinte forma: "Javé! O SENHOR! O Deus de compaixão e misericórdia! Sou *lento para me irar* e cheio de amor e fidelidade" (Êx 34.6).

"Lento para me irar" é uma boa forma de expressar a que estamos nos referindo quando falamos de paciência.

Essa declaração categórica ocorre no contexto do grande pecado do povo de Israel no monte Sinai, sua apostasia e idolatria no episódio do bezerro de ouro (Êx 32). E, por certo, Deus julgou o povo naquela ocasião. Mas, apesar de haver ameaçado destruir completamente os israelitas, em resposta à intercessão de Moisés o Senhor poupou a nação como um todo e continuou a conduzi-la adiante (Êx 33.12-17).

Esse versículo famoso (Êx 34.6) aparece com frequência no Antigo Testamento. Uma das repetições mais belas se encontra no salmo 103:

O SENHOR é compassivo e misericordioso,
lento para se irar e cheio de amor.
Não nos acusará o tempo todo,
nem permanecerá irado para sempre.
Não nos castiga por nossos pecados,
nem nos trata como merecemos.

Salmos 103.8-10

Mais adiante, o salmista compara a compaixão de Deus ao modo como um pai trata seus filhos, algo que certamente requer muita paciência!

Mesmo quando o juízo é claramente merecido, Deus é paciente, ainda mais se há possibilidade de arrependimento. Foi o que Jonas descobriu. Na verdade, Jonas já sabia desse fato e *criticou* Deus por ser tão paciente e perdoador! Jonas ficou chateado e zangado com a qualidade que Deus havia mostrado com tanta frequência a Israel quando essa qualidade beneficiou estrangeiros odiados (Jn 3.10—4.4).

"Lento para me irar", Deus disse sobre si mesmo. E mesmo quando a ira de Deus é justa e necessariamente suscitada pela perversidade e pelo pecado humanos, não dura para sempre. Miqueias observou esse aspecto do caráter de Deus (de que ele não permanece irado para sempre) como algo *singular* a Javé, o Deus de Israel, algo que não se aplicava a outras supostas divindades.

Que outro Deus há semelhante a ti,
que perdoas a culpa do remanescente
e esqueces os pecados dos que te pertencem?
Não permanecerás irado com teu povo para sempre,
pois tens prazer em mostrar teu amor.
Voltarás a ter compaixão de nós;

pisarás nossas maldades sob teus pés
e lançarás nossos pecados nas profundezas do mar.

Miqueias 7.18-19

Na história de Israel no Antigo Testamento houve, sim, momentos em que Deus se irou, mas esses momentos precisam ser considerados à luz da longa história da paciência divina durante muitos séculos e gerações. Com frequência, o julgamento de Deus sobreveio somente depois de muitos anos de advertências e apelos feitos por sucessivos profetas. Aliás, alguns dos profetas se admiraram com a paciência de Deus diante da rebeldia e do pecado constantes de Israel. Eis alguns exemplos.

i. *Oseias* declarou que Deus havia sido paciente com Israel como os pais precisam ser com filhos que continuam se desviando do caminho certo. A paciência dos pais é belamente expressada nas palavras de Deus por intermédio de Oseias:

Quando Israel era menino, eu o amei,
e do Egito chamei meu filho.
Mas, quanto mais o chamava,
mais ele se afastava de mim;
oferecia sacrifícios às imagens de Baal
e queimava incenso aos ídolos.
Ensinei Israel a andar, conduzindo-o pela mão.
Mas ele não se deu conta de que era eu quem dele cuidava.
Guiei Israel com meus laços de amor.
Tirei o jugo de seu pescoço
e eu mesmo me inclinei para alimentá-lo.

Oseias 11.1-4

ii. *Jeremias* passou quarenta anos de sua vida suplicando pacientemente a Judá para que voltasse para Deus e mudasse sua conduta, mas o povo não deu ouvidos. Deus se expressa da seguinte forma por intermédio do profeta:

Disse comigo:
Como eu gostaria de tratá-los como filhos!
Meu maior desejo era lhes dar esta linda terra,
a herança mais excelente do mundo.
Queria que me chamassem de "Pai"
e que jamais se afastassem de mim.
Mas você me traiu, povo de Israel!
Foi como esposa infiel que abandona o marido.
Eu, o SENHOR, falei.

Jeremias 3.19-20

Jeremias, diga ao povo: "Assim diz o SENHOR:
Quando uma pessoa cai, não volta a se levantar?
Quando descobre que está no caminho errado, não dá meia-volta?
Então por que este povo de Jerusalém continua em seu caminho
e se recusa a voltar?
Apegam-se firmemente a suas mentiras
e não querem retornar.
Escuto suas conversas
e não ouço uma só palavra verdadeira.
Acaso alguém está arrependido de sua maldade?
Alguém diz: 'Que coisa terrível eu fiz'?
Não! Todos correm pelo caminho do pecado,
velozes como cavalos galopando para a batalha.
Até a cegonha que voa pelos céus
sabe a época de migrar,
assim como a rolinha, a andorinha e o grou;

todos voltam no tempo certo a cada ano.
meu povo, contudo,
não conhece os decretos do Senhor".

Jeremias 8.4-7

Durante 23 anos, desde o décimo terceiro ano do reinado de Josias, filho de Amom, rei de Judá, até hoje, o Senhor me tem dado suas mensagens. Eu as anunciei fielmente, mas vocês não ouviram.

Repetidamente, o Senhor tem enviado seus servos, os profetas, mas vocês não ouviram nem prestaram atenção.

Jeremias 25.3-4

iii. É possível, portanto, que Tiago tenha Jeremias em mente de modo especial quando apresenta os *profetas* como exemplo mais excelente de paciência:

Irmãos, tomem como exemplo de paciência no sofrimento os profetas que falaram em nome do Senhor.

Tiago 5.10

iv. A paciência é ligada de modo bastante próximo àquilo que somos capazes de suportar ou carregar. Por isso, quando nossa paciência se esgota, dizemos "Não aguento mais". *Isaías* descreve uma discussão entre Deus e Israel, na qual Deus diz aos israelitas que *ele* não havia colocado um fardo sobre *eles*, pelo contrário, *eles* é que *o* cansavam incessantemente com seus pecados.

Embora eu não o tenha sobrecarregado nem cansado
com exigências de ofertas de cereal e incenso.
[...] Em vez disso, me sobrecarregou com seus pecados
e me cansou com suas maldades.

Isaías 43.23,24

Isso não significa, obviamente, que Deus se cansa de modo literal. Antes, significa que quando Deus demonstra paciência é porque leva o fardo pesado do pecado humano. Aliás, um dos termos hebraicos traduzidos por "perdoar" significa "levar, carregar". Portanto, quando Deus é paciente, quando Deus perdoa, é apenas porque escolhe levar nossos pecados, carregar o peso deles sobre seus "ombros" e pagar o preço por eles. Claro que foi exatamente isso que Jesus fez na cruz.

> Apesar disso, foram as nossas
> enfermidades que ele tomou sobre si,
> e foram as nossas doenças que pesaram
> sobre ele. [...]
> E, no entanto, o SENHOR fez cair sobre ele
> os pecados de todos nós. [...]
> [Ele] levou sobre si a culpa de muitos e
> intercedeu pelos pecadores.
>
> Isaías 53.4,6,12

Portanto, quando diz que o Espírito de Deus produzirá paciência em nossa vida como parte de seu fruto, Paulo nos lembra de que o Deus da Bíblia é o Deus que levou sobre si nosso pecado. Ele próprio o carregou, na pessoa de seu Filho, tomando sobre os ombros o peso de sua justa ira contra todo mal e toda perversidade. Esse é o verdadeiro custo da paciência de Deus. E nos leva diretamente a Jesus.

2. A paciência de Jesus

A paciência de Jesus com seus discípulos foi testada em várias ocasiões, pois, muitas vezes, eles demoravam a compreender o que ele dizia ou fazia (creio, porém, que nenhum de nós teria se saído melhor). Não obstante, Jesus perseverou com eles. Aliás, João começa seu relato da refeição final de Jesus com os discípulos da seguinte forma: "Jesus sabia que havia chegado sua hora de deixar este mundo e voltar para o Pai. Ele tinha amado seus discípulos durante seu ministério na terra, e os amou até o fim" (Jo 13.1). Nessa mesma ocasião, depois de lavar os pés dos discípulos e depois de terminarem a refeição, Jesus orou a seu Pai: "Durante meu tempo aqui com eles, eu os protegi com o poder do nome que me deste. Eu os guardei de modo que nenhum deles se perdeu, exceto aquele que estava a caminho da destruição, como as Escrituras haviam predito" (Jo 17.12). Jesus perseverou com eles pacientemente em meio a suas fraquezas e falhas.

E, como os profetas do Antigo Testamento, Jesus chora por Jerusalém, pensando em quão pacientemente Deus havia almejado conduzir seus habitantes à salvação e protegê-los, mas eles não se voltaram para ele.

> Jerusalém, Jerusalém, cidade que mata profetas e apedreja os mensageiros de Deus! Quantas vezes eu quis juntar seus filhos como a galinha protege os pintinhos sob as asas, mas você não deixou.
>
> Mateus 23.37

> Quando Jesus se aproximou de Jerusalém e viu a cidade, começou a chorar. "Como eu gostaria que hoje você compreendesse o caminho para a paz!", disse ele. "Agora, porém, isso está oculto a seus olhos."
>
> Lucas 19.41-42

A paciência suprema de Jesus foi demonstrada, evidentemente, quando ele suportou a violência, a crueldade e a injustiça da cruz. E ele o fez com o objetivo de "carregar/levar sobre si" nossos pecados, sem retaliação, mas confiando em seu Deus Pai. Em outras palavras, em seu sofrimento e sua morte, Jesus suportou não apenas a hostilidade imediata daqueles que exigiram e executaram sua crucificação, mas também o pecado do mundo, incluindo o seu e o meu.

Pedro considera esse sofrimento paciente de Jesus um modelo para nossa perseverança. Usa palavras que lembram e citam Isaías 53:

> Claro que não há mérito algum em ser paciente quando são açoitados por terem feito o mal. Mas, se sofrem por terem feito o bem e suportam com paciência, Deus se agrada de vocês.
>
> Porque Deus os chamou para fazerem o bem, mesmo que isso resulte em sofrimento, pois Cristo sofreu por vocês. Ele é seu exemplo; sigam seus passos.
>
> Ele nunca pecou,
>   nem enganou ninguém.
> Não revidou quando foi insultado,
>   nem ameaçou se vingar quando sofreu,
> mas deixou seu caso nas mãos de Deus,
>   que sempre julga com justiça.
> Ele mesmo carregou nossos pecados
>   em seu corpo na cruz,
> a fim de que morrêssemos para o pecado
>   e vivêssemos para a justiça;
>   por suas feridas somos curados.
>
> 1Pedro 2.20-24

Naturalmente, portanto, se o Espírito de Deus é o Espírito de Jesus (como, por vezes, diz o Novo Testamento), essa é uma das maneiras pelas quais ele nos tornará mais semelhantes a Cristo, ao seguirmos seu exemplo. O fruto do Espírito abrangerá a característica de paciência que reflete como Cristo suportou o sofrimento para nos salvar.

Isso nos leva, por fim, a nós mesmos. Vimos um pouco da paciência de Deus no Antigo Testamento e da paciência de Cristo no Novo Testamento. Como será quando paciência semelhante à de Deus for produzida em nossa vida?

3. Paciência na vida cristã

Voltemos aos dois sentidos do termo mencionados no início. Ser paciente significa ter *longanimidade* (suportar perseguição) e *tolerância* (perdoar uns aos outros), e o termo é usado de ambas as formas no Novo Testamento.

a) Suportar perseguição

A Bíblia ensina com muita clareza que o povo de Deus sofrerá em decorrência da hostilidade daqueles que são inimigos de Deus e de seu povo. Esses adversários podem ser humanos ou satânicos. Portanto, o exemplo de Cristo se torna fundamental para nós. E, quando pensamos no sofrimento de Cristo o que importa não é apenas o *fato* de que ele sofreu, mas o *modo* como ele suportou esse sofrimento. Veja, mais uma vez, o que Pedro diz:

> Amados, não se surpreendam com as provações de fogo ardente pelas quais estão passando, como se algo estranho lhes estivesse acontecendo. Pelo contrário, alegrem-se muito, pois essas provações os tornam participantes dos sofrimentos de Cristo, a fim de que tenham a maravilhosa alegria de ver sua glória quando ela for revelada.
>
> Se vocês forem insultados por causa do nome de Cristo, abençoados serão, pois o glorioso Espírito de Deus repousa sobre vocês. [...] Mas, se sofrerem por ser cristãos, não se envergonhem; louvem

> a Deus por serem chamados por esse nome! [...] Portanto, se vocês sofrem porque cumprem a vontade de Deus, continuem a fazer o que é certo e confiem sua vida àquele que os criou, pois ele é fiel.
>
> 1Pedro 4.12-14,16,19

A mensagem desses versículos é clara. Quando nós, como cristãos, sofremos:

- *não devemos nos surpreender* (Jesus e os apóstolos nos advertiram repetidamente que o sofrimento é esperado);
- *não devemos retaliar* (pois seguimos o exemplo de Cristo, que não revidou nem mesmo com palavras quando poderia ter convocado um exército de anjos);
- *não devemos desistir* (quando entregamos nossa causa para Deus, não sentamos e esperamos; continuamos a cumprir nosso chamado, fazendo o bem).

Paulo é igualmente claro e sabia por experiência do que estava falando.

> Mas você sabe muito bem o que eu ensino, como vivo e qual é meu propósito de vida. Conhece minha fé, minha paciência, meu amor e minha perseverança. Sabe quanta perseguição e quanto sofrimento suportei e o que me aconteceu em Antioquia, Icônio e Listra; o Senhor, porém, me livrou de tudo isso. Sim, e todos que desejam ter uma vida de devoção em Cristo Jesus sofrerão perseguições.
>
> 2Timóteo 3.10-12

Milhões de irmãos em Cristo ao redor do mundo têm pleno conhecimento desse fato. Sofrem ódio, discriminação e encarceramento, são expulsos de seu lar e mortos das maneiras mais horríveis por causa de sua fé em Jesus. Para eles, o ensino bíblico para suportar sofrimento não é uma teoria ou doutrina, mas uma realidade terrível.

Devemos orar por eles frequentemente. No entanto, também devemos pedir coragem para nós mesmos. Se chegar nossa vez de sofrer de algum modo pelo fato de sermos cristãos em um mundo hostil a nossa fé ou que desaprova nossas convicções bíblicas e nossa consciência, precisamos de graça e força para, no poder do Espírito, sermos como Jesus e demonstrarmos perseverança paciente, e não retaliação enfurecida (em palavras ou atos). Precisamos encarecidamente dessa parte do fruto do Espírito: perseverança paciente.

Contudo, em meio a esse sofrimento e perseguição, mesmo quando suportamos com paciência, também há um tipo legítimo de "impaciência". É correto clamarmos a Deus e orarmos para que ele acabe com essa situação, como prometeu fazer. Ao longo das eras, inclusive na própria Bíblia, pessoas ansiaram pelo dia em que Deus agiria e acabaria com a injustiça, a opressão, a violência e o mal. Seus clamores sobem ao céu: "Quanto tempo passará?" (Ap 6.9-11). Ansiamos pelo dia em que Deus ordenará: "Aquietem-se e saibam que eu sou Deus!", e pelo dia em que ele acabará "com as guerras em toda a terra" (Sl 46.9-10). Enquanto esse dia não chega, nosso chamado e nosso desafio consistem em aguardar com esperança e alegria, cientes de que nossa espera não é vã.

> Nossa esperança está no SENHOR;
>   ele é nosso auxílio e nosso escudo.
> Nele nosso coração se alegra,
>   pois confiamos em seu santo nome.
> Que o teu amor nos cerque, SENHOR,
>   pois só em ti temos esperança.
>
> Salmos 33.20-22

b) Perdoar uns aos outros

Ter paciência também significa suportar os outros. Significa tolerar as coisas que outros fazem (ou deixam de fazer, frustrando nossas expectativas). Significa esforçar-nos para suportar os outros mesmo quando nos irritam, nos incomodam ou fazem algo pior. É escolher perdoar em vez de guardar mágoa. É escolher desconsiderar uma ofensa ou insensibilidade em vez de revidar com palavras ríspidas ou acertar as contas com quem nos tratou de modo injusto. É aprender a ser paciente, sobretudo porque temos plena consciência de nossas falhas e fraquezas. É lembrar que os outros provavelmente também têm de nos suportar!

Infelizmente, esse tipo de paciência é mais necessário que nunca nas igrejas e até mesmo (ou talvez especialmente) entre líderes cristãos. Em um mundo de publicações instantâneas em *blogs* e comentários (e de comentários sobre comentários), a paciência parece ser uma virtude bastante esquecida. Algumas pessoas se sentem compelidas a dar sua opinião, desenvolver seu argumento, dizer o que têm em mente, por mais prejudicial e ofensivo que seja. Tornamo-nos extremamente impacientes em atitudes, comunicação e expectativas.

Talvez você seja pastor ou exerça algum cargo de liderança na igreja. Você sabe que o trabalho de pastorear o povo de Deus requer paciência ilimitada e sobrenatural, pelo simples fato de que pessoas são diferentes umas das outras. Temos diferentes personalidades e preferências, diferentes gostos e aversões, diferentes visões e ambições. E só porque somos cristãos, não significa que todas essas coisas se mesclam perfeitamente. Algumas pessoas se chateiam com facilidade. Algumas parecem ter nascido chateadas. Jesus teve um bocado de dificuldade com seus doze discípulos. Liderar grupos ainda maiores de seguidores pode ser um desafio e tanto.

Quando me tornei diretor de uma faculdade cristã aos 45 anos, nem sempre foi fácil exercitar paciência com os membros mais velhos da equipe quando havia diferenças de abordagem ou visão, embora eu tivesse grande apreço por eles. Esforcei-me ao máximo para seguir a instrução de Paulo a Timóteo: "Nunca fale com dureza a um homem mais velho, mas aconselhe-o como faria com seu próprio pai" (1Tm 5.1). E o fiz, em parte, porque tinha grande respeito por alguns desses colegas mais velhos com muito mais experiência missionária e sabedoria que eu. Portanto, mesmo discordando deles, orei fervorosamente pelo dom da paciência.

Dizem que devemos liderar uma equipe como se lidera um grupo de montanhistas presos todos à mesma corda, ou seja, devemos nos mover à velocidade do montanhista mais lento. Mas e se um dos montanhistas amarrar a ponta da corda em uma pedra, recusar-se a caminhar e disser que não devemos subir a montanha?

Paciência! Tolerância!

E mesmo entre o restante da igreja, entre aqueles que não são líderes, mas apenas os chamados "cristãos comuns", como é fácil se exasperar e se chatear uns com os outros! Precisamos de muita paciência para suportar todos que Deus reuniu na igreja. Se ao menos fossem todos como nós! Nessas horas, temos de nos lembrar da paciência de que eles precisam para nos suportar!

Há uma rima boba que diz:

Habitar no céu com os santos em comunhão:
Ó que maravilhosa glória!
Habitar na terra com os santos que conhecemos:
Ah, isso é outra história!

Pode ser extremamente difícil exercitar a paciência, ser como Cristo nesse aspecto e deixar que o fruto do Espírito amadureça em nossa vida. É *fruto*, mas ao mesmo tempo precisamos *cultivá-lo*. Envolve esforço e luta. Sobretudo se outros o compreenderam ou interpretaram equivocadamente ou acusaram injustamente, ou se fazem fofocas a seu respeito e espalham boatos. Nesses momentos, nossa paciência é testada. Mas, também nesses momentos, ela faz diferença. Que valor há em afirmar que somos pessoas maravilhosamente pacientes quando não existe nada para testar nossa paciência?

Paciência! Perdão!

Como apóstolo e líder, Paulo vivenciava essas dificuldades até mesmo em relação às igrejas que havia fundado. E, no entanto, ele nos exorta a, de algum modo, carregar os fardos, ser o mata-borrão para a tinta que outros derramaram, resistir à tentação de revidar e de tornar-nos defensivos, amargurados e ressentidos, ou reagir com ameaças enfurecidas de abandonar o barco.

As palavras de Paulo para várias de suas igrejas fornecem algumas instruções básicas tanto para seus membros como para seus líderes. Observe os trechos destacados em itálico.

> Irmãos, honrem seus líderes na obra do Senhor. Eles trabalham arduamente entre vocês e lhes dão orientações. Tenham grande respeito e amor sincero por eles, por causa do trabalho que realizam. E vivam em paz uns com os outros.
>
> Irmãos, pedimos que advirtam os indisciplinados. Encorajem os desanimados. Ajudem os fracos. *Sejam pacientes com todos.*
>
> Cuidem que ninguém retribua o mal com o mal, mas procurem sempre fazer o bem uns aos outros e a todos.
>
> 1Tessalonicenses 5.12-15

Sejam sempre humildes e amáveis, *tolerando pacientemente uns aos outros em amor.*

Efésios 4.2

Sejam compreensivos uns com os outros e perdoem quem os ofender. Lembrem-se de que o Senhor os perdoou, de modo que vocês também devem perdoar.

Colossenses 3.13

Há um hino que diz: "Ele morreu para que fôssemos *perdoados*". Amém! É verdade! Mas também é verdade que ele morreu para que fôssemos *perdoadores*, para que perdoemos uns aos outros. E esse tipo de disposição de perdoar outros é, de si mesmo, um fruto de paciência, esse difícil, mas tenro, fruto do Espírito.

Perguntas

1. De que maneiras Deus tem sido paciente com você em sua caminhada cristã?
2. De que maneiras os outros têm sido pacientes com você?
3. Em que situações você é mais propenso a se tornar impaciente? Nesses momentos, como pode mostrar o fruto do Espírito em sua vida por meio da paciência?
4. Que exemplos lhe vêm à mente de cristãos em sua cultura que demonstraram (ou estão demonstrando) grande paciência diante de perseguição e sofrimento?
5. Que textos você escolheria para uma série de sermões ou estudos bíblicos sobre a paciência (perseverança debaixo de sofrimento e tolerância em relação a outros cristãos) como parte do fruto do Espírito?

5
Amabilidade

Se a paciência é um aspecto difícil do fruto Espírito, a amabilidade é um aspecto delicado. É interessante que Paulo o coloca logo depois da paciência. Talvez porque, para ele, ambos fossem qualidades essenciais do *amor*, o primeiro aspecto do fruto do Espírito. "O amor é paciente e bondoso" (1Co 13.4). Que grande verdade, não é mesmo? Quando você ama alguém, é mais fácil (ou, no mínimo, menos difícil!) ser paciente com essa pessoa. E a amabilidade para com outros é uma das características mais evidentes de uma pessoa que tem um coração verdadeiramente repleto de amor.

Mas, afinal, o que é amabilidade? Que tipo de comportamento temos em mente quando dizemos que alguém foi amável conosco ou com outros? Creio que a essência da amabilidade é pensar mais nos outros que em si mesmo em qualquer situação. Ser amável significa ajudar os outros, animá-los ou consolá-los, fazer algo que os sirva ou beneficie. A fim de ser amável com alguém, preciso me colocar em seu lugar e imaginar o que eu mais desejaria ou precisaria que ele fizesse por mim — e então fazer isso por ele. A amabilidade parece bastante próxima daquilo a que Jesus se referiu quando disse que devemos fazer pelos outros o que desejamos que façam por nós.

Pode ser algo simples, como uma palavra agradável ou um sorriso atencioso. Ainda mais importante, contudo, ser amável significa estar disposto a *fazer* algo, tomar uma providência que ajude outra pessoa, mesmo que isso nos seja inconveniente.

Quando alguém está disposto a usar seu tempo precioso para me ajudar em uma situação difícil ou confusa, está sendo amável. A amabilidade vai além do dever; significa fazer algo que você *não precisa*, mas que *escolhe* fazer. A amabilidade vai além da recompensa; significa fazer algo que não lhe dará nenhum retorno. Aliás, a verdadeira amabilidade geralmente tem um custo e não espera recompensa. Você realiza um ato amável pelo ato em si e pela outra pessoa. Nesse sentido, a amabilidade é a própria recompensa.

Na Bíblia, a amabilidade é, muitas vezes, associada à generosidade. Aliás, o termo que Paulo usa muitas vezes tinha esse sentido: com frequência, amabilidade podia significar prover generosamente visando beneficiar outra pessoa. Essa é a amabilidade bíblica.

"Obrigado, *você é muito amável.*" Às vezes dizemos essas palavras quando alguém faz algo por nós. Observe que não dizemos apenas: "O que você fez foi muito amável", embora seja verdade. Atos amáveis são realizados por pessoas amáveis por natureza e caráter. Em outras palavras, "amável" não é um termo associado apenas a *ações*; também se aplica a *pessoas*, a quem costuma se comportar de determinada maneira que abençoa e beneficia outros, pois esse é seu caráter.

Esse fato nos leva prontamente ao caráter de Deus revelado na Bíblia. Como com outros itens do fruto do Espírito, talvez não associemos amabilidade de imediato com Deus no Antigo Testamento, mas, de fato, é um forte elemento do caráter de Deus celebrado na primeira parte da Bíblia.

1. A amabilidade e o caráter de Deus

No Antigo Testamento, é comum louvar a Deus por sua amabilidade. Há uma bela palavra em hebraico, *hesed*, tão rica em significado que é traduzida de várias maneiras. Uma tradução frequente é "amor", com ênfase sobre a fidelidade como parte essencial do amor verdadeiro. Por vezes, o termo *hesed* também é traduzido por "amor fiel". Em outras ocasiões, significa "lealdade", quando alguém age em função de um forte senso de compromisso em relação a outro em razão do relacionamento que há entre eles. Quando Deus age com *hesed*, pode significar que usa de "misericórdia" para com pessoas em situações de vulnerabilidade ou necessidade, de modo que o conceito também é bastante próximo de "compaixão", outra palavra recorrente no Antigo Testamento.

E, muitas vezes, *hesed* é traduzido simplesmente por "bondade", uma vez que tem o sentido ativo de fazer algo por outra pessoa, algo que demonstre profundo amor em ação. Quando Deus age com essa amável "bondade" (com *hesed*), significa que está sendo fiel às promessas de sua aliança, prestando zelosa atenção a nossas necessidades, agindo com amor generoso e misericordioso, provendo todas as coisas com fartura para nossa bênção e nosso bem. Não disse que é uma bela palavra?

Poderíamos dar dezenas de exemplos de *hesed* de Deus, mas é provável que o mais conhecido seja o do último versículo do salmo 23: "Certamente a bondade e o amor [*hesed*] me seguirão todos os dias de minha vida" (Sl 23.6; a NVI traduz o segundo termo por "fidelidade"; RA e RC traduzem por "misericórdia").

Davi estava pensando em Deus como pastor que trata suas ovelhas de modo amável, protegendo-as e provendo para elas. O pastor tem o *compromisso* de cuidar de suas ovelhas, mesmo que lhe custe algo. Da mesma forma, Deus manterá o compromisso com seu "rebanho", seu povo, porque ele próprio é a essência da bondade e amabilidade.

O uso mais repetitivo desse termo ocorre no salmo 136, em que todas as linhas terminam com as palavras: "Seu/sua *hesed* dura para sempre". A RA traz "sua misericórdia", a RC, "sua benignidade" e a NVT e NVI trazem "seu amor". O salmo inteiro celebra como Deus, em suas obras de criação e redenção, sempre agiu com amor confiável, mesmo quando suas obras incluíram atos de julgamento sobre aqueles que se opuseram a ele.

Os israelitas verdadeiramente celebravam a amabilidade de Deus. Sua história é repleta de exemplos dessa característica que podiam relatar.

> Falarei do amor do Senhor,
> louvarei o Senhor por tudo que tem feito.
> Eu me alegrarei em sua grande bondade por Israel,
> que ele concedeu
> conforme sua misericórdia e seu imenso amor.
>
> Isaías 63.7

Portanto, quando quer descrever para os habitantes de Listra como é o único e verdadeiro Deus vivo, Paulo focaliza a amável bondade de Deus: "Mas nunca as deixou sem evidências de sua existência e de sua bondade. Ele lhes concede chuvas e boas colheitas, e também alimento e um coração alegre" (At 14.17).

Essa forma de expressão é típica do Antigo Testamento, embora Paulo estivesse se dirigindo a pessoas que não tinham conhecimento algum da Bíblia. Contudo, o Deus a respeito do qual Paulo lhes falou, o Deus completamente diferente dos muitos deuses que eles adoravam, é o Deus que revela seu caráter naquilo que faz, até mesmo em sua generosidade para com todos os seres humanos demonstrada na criação.

Paulo tinha plena consciência de que a amável bondade de Deus está disponível para todos, mas também se entristecia porque, como pecadores decaídos, podemos facilmente rejeitá-la e deixar de entender que a paciente amabilidade de Deus tem por objetivo nos conduzir ao arrependimento e à salvação. "Não percebe quanto ele é bondoso, tolerante e paciente com você? Não vê que essas manifestações da bondade de Deus visam levá-lo ao arrependimento?" (Rm 2.4).

E, como é de esperar, o exemplo supremo da amabilidade de Deus (usando o mesmo termo que o fruto do Espírito, traduzido aqui por "bondade") foi a dádiva de seu Filho, Jesus. "Mas, quando Deus, nosso Salvador, revelou sua bondade e seu amor, ele nos salvou não porque tivéssemos feito algo justo, mas por causa de sua misericórdia" (Tt 3.4-5).

2. A amabilidade é uma qualidade daqueles que adoram a Deus

Uma vez que Deus é amável, aqueles que afirmam conhecê-lo e adorá-lo devem mostrar o mesmo caráter. O Antigo Testamento tem vários exemplos impressionantes de pessoas que demonstraram uma amabilidade excepcional que reflete a amabilidade de Deus. Observemos três. Os dois primeiros são do mesmo livro. Abra em Rute e veja.

a) Rute e Boaz

Rute é uma bela história de dupla amabilidade: de Rute por Noemi e de Boaz por Rute e Noemi. Na verdade, é uma amabilidade tripla quando incluímos o Senhor Deus (Javé, o Deus de Israel). Noemi pede que Deus demonstre amável bondade por suas noras moabitas (Rt 1.8), e à medida que a história se desdobra Deus responde a essa oração, pelo menos no caso de Rute (o texto não diz o que Deus talvez tenha feito por Orfa).

Primeiro, Rute demonstra extraordinária e abnegada amabilidade a Noemi, sua sogra viúva, ao recusar-se a voltar para Moabe e deixar Noemi regressar a Belém sozinha. Sua expressão veemente de lealdade, compromisso e conversão ao Deus de Israel é um dos discursos mais notáveis da Bíblia:

> Rute respondeu: "Não insista comigo para deixá-la e voltar. Aonde você for, irei; onde você viver, lá viverei. Seu povo será o meu povo, e seu Deus, o meu Deus. Onde você morrer, ali morrerei e serei sepultada. Que o SENHOR me castigue severamente se eu permitir que qualquer coisa, a não ser a morte, nos separe!".
>
> Rute 1.16-17

Então, quando Boaz encontra Rute respigando em seu campo, elogia tudo o que ela vinha fazendo por Noemi desde a morte de seu marido e de seu sogro. Rute, por sua vez, expressa alívio e gratidão pela amável bondade de Boaz (2.11-13). E, naquela noite, quando Rute conta a Noemi o que havia acontecido, Noemi declara:

> "O SENHOR o abençoe!", disse Noemi à nora. "O SENHOR não deixou de lado sua bondade tanto pelos vivos como pelos mortos. Esse homem é um de nossos parentes mais próximos, o resgatador de nossa família."
>
> Rute 2.20

No episódio seguinte, Rute (por instrução de Noemi) se deita ao lado de Boaz no meio da noite, enquanto ele dorme. Quando Boaz desperta assustado (como aconteceria com você) e Rute o pede em casamento, ouvimos novamente o termo *hesed*. É surpreendente. Seria de imaginar que Boaz repreendesse Rute por seu modo constrangedor de agir e ordenasse que ela fosse para casa antes que alguém a visse. Mas não é o que ele faz. Ele a *abençoa*!

> Então Boaz exclamou: "O SENHOR a abençoe, minha filha! Você demonstra agora ainda mais lealdade [*hesed*] por sua família que antes, pois não foi atrás de um homem mais jovem, seja rico ou pobre. Não se preocupe com nada, minha filha. Farei o que me pediu, pois toda a cidade sabe que você é uma mulher virtuosa".
>
> Rute 3.10-11

A que se refere a "lealdade" mencionada por Boaz? Em que sentido Rute está agindo de modo "leal" a Boaz? Para começar, há o fato (possivelmente lisonjeiro) de que ela escolheu pedi-lo em casamento (embora ele tivesse idade para ser pai dela), quando poderia ter se casado com qualquer rapaz de sua idade. Mais que isso, Boaz percebeu que, quando Rute o pediu em casamento como seu parente-resgatador, na verdade estava agindo de modo amável e leal para com Noemi e seu marido falecido, Elimeleque. Se Rute tivesse um filho com Boaz, esse filho daria continuidade ao nome da família de Elimeleque e receberia sua propriedade. Isso explica por que a disposição de Boaz de aceitar Rute como esposa também é considerada uma ação bastante justa e amável, pela qual ele é elogiado (4.11-12). Portanto, a ação de Rute de pedir Boaz em casamento foi um ato de amável lealdade à família de Elimeleque e Noemi, e a ação de Boaz de concordar em casar-se com Rute (depois de certa demora) também foi um ato de lealdade para com eles.

No balanço geral, portanto, Rute é uma história de *hesed*, amabilidade em ação do começo ao fim. Boaz e Rute exemplificam a amabilidade de Deus. É dessa forma que Deus se comporta, e é dessa forma que seus servos devem se comportar, quer sejam israelitas de nascimento, como Boaz, quer sejam estrangeiros, como Rute. Ambos foram além do que era normal ou esperado em suas respectivas culturas. Ambos assumiram riscos consideráveis. E o fizeram a fim de demonstrar amabilidade por alguém que tanto necessitava dela. Exatamente como Deus faz.

b) Davi

A amizade entre Davi e Jônatas, filho do rei Saul, é célebre. Ambos sabiam que Saul estava decidido a matar Davi se tivesse oportunidade. Também sabiam, contudo, que Davi tinha sido ungido para reinar no lugar de Saul mais adiante. Era uma grande ameaça para Jônatas, que, como filho de Saul, possivelmente esperasse (e desejasse) ser o próximo rei. Jônatas pede que Davi jure ser leal a ele e sua família para o resto da vida, não obstante o que acontecesse. Suas palavras pedem explicitamente que Davi tome Deus como exemplo ao fazê-lo:

> "E que você me trate com o amor leal [*hesed*] do SENHOR enquanto eu viver. Mas, se eu morrer, trate minha família com esse amor leal, mesmo quando o SENHOR eliminar da face da terra todos os seus inimigos."
>
> Então Jônatas assumiu um compromisso solene com Davi e sua descendência e disse: "Que o SENHOR destrua todos os inimigos de Davi!". E Jônatas fez Davi reafirmar seu juramento de amizade, pois Jônatas o amava como a si mesmo.
>
> 1Samuel 20.14-17

Posteriormente, quando Saul e Jônatas morreram numa batalha contra os filisteus e Davi se tornou rei de todas as tribos de Israel, ele se lembrou de sua promessa a Jônatas e dos termos exatos com que a havia feito.

> Certo dia, Davi perguntou: "Resta alguém da família de Saul, a quem eu possa mostrar bondade [*hesed*] por causa de Jônatas?". Havia um servo da família de Saul, cujo nome era Ziba, e o trouxeram a Davi. "Você é Ziba?", perguntou o rei.
>
> "Sim, seu servo, meu senhor!", respondeu Ziba.
>
> Então o rei lhe perguntou: "Resta alguém da família de Saul? Se resta, gostaria de mostrar a *bondade de Deus* para com ele".
>
> "Um dos filhos de Jônatas ainda está vivo", respondeu Ziba. "Ele é aleijado dos dois pés."
>
> "Onde ele está?", perguntou o rei.
>
> Ziba respondeu: "Em Lo-Debar, na casa de Maquir, filho de Amiel".
>
> Então Davi mandou buscá-lo na casa de Maquir. Seu nome era Mefibosete, filho de Jônatas, filho de Saul. Quando compareceu diante de Davi, curvou-se com o rosto no chão. Davi disse: "Saudações, Mefibosete".
>
> Mefibosete respondeu: "Aqui está seu servo, meu senhor!".
>
> "Não tenha medo", disse Davi. "Quero mostrar bondade a você por causa de Jônatas, seu pai. Vou lhe dar todas as terras que pertenciam a seu avô Saul, e você comerá sempre aqui comigo, à mesa do rei."
>
> 2Samuel 9.1-7

O Antigo Testamento ensinava que *hesed* (bondade, lealdade, amabilidade) fazia parte do caráter do Deus de Israel e, por isso, devia fazer parte do caráter de seu povo. Deus deseja ver amor fiel e bondade serem praticados na terra, pois tem prazer neles, como vários profetas declaram:

Assim diz o SENHOR:
"Que o sábio não se orgulhe de sua sabedoria,
nem o poderoso de seu poder,
nem o rico de suas riquezas.
Aquele que deseja se orgulhar,
que se orgulhe somente disto:
de me conhecer e entender que eu sou o SENHOR,
que demonstra amor leal [*hesed*]
e traz justiça e retidão à terra;
isso é o que me agrada.
Eu, o SENHOR, falei!".

Jeremias 9.23-24

Ó povo, o SENHOR já lhe declarou o que é bom
e o que ele requer de você:
que pratique a justiça, ame a misericórdia [*hesed*]
e ande humildemente com seu Deus.

Miqueias 6.8

Assim diz o SENHOR dos Exércitos: Julguem com justiça e mostrem compaixão [*hesed*] e bondade uns pelos outros.

Zacarias 7.9

Na Literatura de Sabedoria, não se trata apenas de uma ordem. Destaca-se que, quando praticamos a amabilidade, além de imitarmos a Deus, realizamos esses atos *para* Deus. A palavra *hesed* não ocorre em nenhum dos textos a seguir (por vezes, ocorre o termo para compaixão, bastante próximo), mas o sentido de amabilidade bondosa e generosa para com outros, especialmente os necessitados, é claro.

Quem faz o bem beneficia a si mesmo;
quem pratica o mal só se prejudica.

Provérbios 11.17

É pecado desprezar o próximo;
feliz o que ajuda os pobres.

Provérbios 14.21

Quem oprime o pobre insulta seu Criador,
mas quem ajuda o necessitado honra a Deus.

Provérbios 14.31

Quem ajuda os pobres empresta ao SENHOR;
ele o recompensará.

Provérbios 19.17

3. Amabilidade e o exemplo de Jesus

Se a amabilidade consiste, fundamentalmente, em amar outros a ponto de colocar as necessidades deles antes das nossas, então Jesus é a amabilidade encarnada, amabilidade em forma humana.

Um amigo meu diz que deseja escrever um livro sobre a vida de Jesus e chamá-lo de "teologia das interrupções". De acordo com esse amigo, muito daquilo que Jesus disse e realizou nos relatos dos Evangelhos aconteceu porque alguém o interrompeu quando ele estava fazendo outra coisa, ou em viagem, ou visitando alguém, ou comendo. E, no entanto, Jesus reagiu a todas essas interrupções não com irritação e recusa em atender, mas com amabilidade e receptividade. Em muitos casos, também demonstrou respeitosa amabilidade a pessoas que a sociedade costumava rejeitar e marginalizar.

Pense na mulher com hemorragia, que o interrompeu quando ele estava a caminho de uma emergência médica; pense nos pais que levaram seus filhos até Jesus quando os discípulos desejavam prosseguir com sua aula particular; pense no cego Bartimeu que gritou repetidamente em meio à multidão até que Jesus parou; pense na mulher siro-fenícia que não aceitou "não" como resposta; pense na mulher que ungiu os pés de Jesus durante uma refeição e escandalizou o anfitrião. Até mesmo durante a agonia lancinante da cruz, Jesus levou em consideração as necessidades de sua mãe. E, depois de sua ressurreição, sabia que os pescadores famintos precisavam de um bom café da manhã depois de uma noite no mar.

Jesus não demonstrou amabilidade em todos esses exemplos simplesmente porque era "um homem muito bondoso" ou o tipo de pessoa que sempre aparece ao fundo com um leve sorriso nos lábios. Houve ocasiões em que Jesus disse palavras severas e agiu com firmeza em relação aos líderes religiosos e hipócritas. Mas aos pobres, enfermos e marginalizados — aqueles que todos os outros desconsideravam — Jesus demonstrou bondade extraordinária e dedicou tempo e atenção preciosos a suas necessidades. Aliás, Jesus transpôs barreiras e derrubou tabus sociais para demonstrar amabilidade ao comer e beber com pessoas que a sociedade desprezava.

Se ser discípulo de Jesus significa que devo seguir seu exemplo, por que, com tanta frequência, *não* separo tempo para ser amável na vida cotidiana? Embora deseje me considerar um sujeito amável de modo geral, sei que há muitas ocasiões (aliás, ocasiões demais) em que *poderia* ter tratado outros com amabilidade, mas não o fiz. É possível que ninguém note minha indiferença, mas sinto culpa a esse respeito. Por que isso acontece? Sei qual é a resposta no meu caso, e talvez sua resposta seja diferente, mas sem dúvida é uma questão desafiadora a considerar.

Com frequência, é porque estou ocupado demais e não desejo ser interrompido. Tenho coisas a fazer, pessoas com quem me encontrar, trabalhos a realizar. Estou correndo, indo a algum lugar e tenho objetivos a alcançar, uma agenda a cumprir, e tempo é algo precioso. Passa batido o momento em que poderia ter conversado com aquele morador de rua, ou em que poderia ter me aproximado da pessoa que parecia um tanto perdida. Não fiz mal a ninguém, mas houve um ato de amabilidade que eu *poderia* ter realizado, e que ficou por fazer. Não estou disposto a deixar que minha vida seja interrompida a fim de ser amável com outra pessoa. Não sou muito parecido com Jesus.

Por vezes, é porque desejo me proteger. Quando viajo, parece quase necessário entrar em "modo avião" e simplesmente avançar: "Saia do meu caminho, pois tenho coisas a fazer". Hoje em dia, a experiência de viajar é tão cheia de inconveniências e incômodos que é fácil me preocupar apenas comigo mesmo e me concentrar em minhas necessidades e urgências. Nessas horas, preciso me lembrar (uma vez que Cristo vive em mim) de como devo me comportar em relação às pessoas ao meu redor, até mesmo a desconhecidos, e até mesmo quando estou cansado e sob pressão (como deve ter sido o caso de Jesus). O desafio de exercitar amabilidade, mesmo em situações estressantes, precisa ser encarado. E é um desafio no qual sei que fracasso com muita frequência.

4. A amabilidade como hábito de vida

Precisamos lembrar que a amabilidade é parte do fruto do Espírito justamente porque *não* ocorre naturalmente (embora, de fato, algumas pessoas pareçam ser mais amáveis que outras).

O tipo de amabilidade ao qual Paulo se refere, porém, não é "natural", mas "espiritual", no sentido de que vem do preenchimento com o Espírito de Deus.

Essa amabilidade é um aspecto do *fruto* (desenvolve-se em razão da vida do Espírito dentro de nós), mas também precisa ser *cultivada*. Precisa tornar-se um *hábito* que se forma dentro de nosso *caráter*.

Como saber que se tornou um hábito? Quando é mais natural dizer e fazer o que é amável do que o contrário. Quando você não precisa parar, pensar e verificar as razões negativas antes de oferecer ajuda a alguém. Quando nos sentimos verdadeiramente tristes e acusamos a nós mesmos se *deixamos de fazer* o que é amável, ou (pior) quando nos comportamos de um modo que sabemos que não é amável. Nessas horas, devemos nos questionar: "Como pude fazer uma coisas dessas? Como pude, como cristão, ser tão desagradável?". E então, obviamente, devemos voltar para o Senhor e pedir perdão e graça. Afinal, todos nós erramos vez ou outra. Se, contudo, a amabilidade como aspecto do fruto do Espírito está começando a se desenvolver em nós, nossa falha nos incomodará muito mais e nos levará a pedir graça para agirmos corretamente da próxima vez.

Portanto, ao sairmos a cada dia em viagem, trabalho e interação constante com outras pessoas, por que não pedir que Deus nos dê oportunidades de demonstrar amabilidade?

- A quem posso agradecer hoje em casa, nas lojas, no trabalho ou nos meios de transporte?
- Onde posso dar um sorriso ou uma palavra de reconhecimento (por exemplo, para aqueles que limpam as ruas)?

- O que farei caso depare com alguém que precisa de algo? Estou preparado para tentar ajudar se puder? Tenho dinheiro ou um lanche pronto para entregar?
- A quem posso demonstrar a amabilidade do Senhor?

Eis algo que pode ajudar a nos movermos nessa direção. Na verdade, é uma das combinações de versículos mais desafiadoras que conheço no que diz respeito a comportamento pessoal. Ouvi John Stott pregar sobre esses versículos, e suas palavras se fixaram em minha memória.

Há duas passagens em Colossenses em que Paulo começa uma frase com "tudo que fizerem".

i. "E tudo que fizerem ou disserem, *façam em nome do Senhor Jesus*" (Cl 3.17). Fazer algo "em nome de" Jesus significa fazer algo que ele faria se estivesse presente. Significa agir como se o próprio Cristo estivesse agindo em mim e por meu intermédio. Portanto, a pergunta que esse texto impressionante levanta em nossa mente é: *Se eu fosse Cristo*, o que faria por essa pessoa? O que Jesus faria nessa situação? E, portanto, o que devo fazer, uma vez que devo agir "em nome do Senhor Jesus"?
ii. "Em tudo que fizerem, trabalhem [...] *como se fosse para o Senhor*" (Cl 3.23). Isso significa que devo agir *como se a outra pessoa fosse Cristo*. O que faço a ela ou por ela, faço a Cristo ou por Cristo. Paulo estava escrevendo para cristãos que eram escravos e que, muito possivelmente, trabalhavam para senhores não cristãos. O apóstolo, contudo, lhes diz com muita clareza que até mesmo escravos podiam *servir a Cristo* ao trabalhar para seus senhores com dedicação e honestidade. Com

> isso, levanta outra pergunta impressionante em nossa mente: *Se essa pessoa fosse Cristo*, o que eu faria por ela? Como me comportaria agora se Cristo estivesse diante de mim?

Suponhamos que vivêssemos cada dia com essas duas perguntas em mente:

- *O que eu faria por essa pessoa se eu fosse Cristo?*
- *O que eu faria por essa pessoa se ela fosse Cristo?*

Acaso não faria diferença no modo como tratamos os outros? Quanta amabilidade demonstraríamos se fizéssemos essa duas perguntas para nós mesmos e colocássemos as respostas em prática? Enquanto escrevo estas palavras e me lembro do ensino de Paulo transmitido pela pregação de John Stott, mais uma vez sinto-me pessoalmente convencido do pecado. Ninguém vive à altura desse padrão, não é mesmo? Mas será que não deve ser nosso alvo?

Richard Wurmband, pastor romeno preso e torturado durante o regime comunista, fala de uma ocasião em que voltou à cela que ocupava com outras pessoas depois de ter sido torturado. Era um dia extremamente gelado, e ele estava enrolado em um cobertor para se aquecer. Então, em um canto, viu outro preso tremendo de frio e sem cobertor. Wurmband puxou o próprio cobertor ainda mais perto do corpo, mas então lhe veio à mente: *Se aquele homem fosse Cristo, você lhe daria seu cobertor?* A resposta era evidente. Ele entregou seu cobertor ao homem (e, posteriormente, quando foi liberto, escreveu um livro com essa pergunta no título).

Além de a amabilidade abnegada ser sinônimo de semelhança a Cristo, também é profundamente atraente para outros, pois dá testemunho daquele que vive em nós e cujo Espírito produz fruto em nossa vida.

Dame Anita Roddick (fundadora da empresa Body Shop) disse certa vez: "Como resultado final, a amabilidade atrai pessoas para junto de você".

Pode ser verdade. A meu ver, contudo, podemos dizer com muito mais convicção e por um motivo bem melhor: "Como resultado final, a amabilidade atrai pessoas para Cristo".

Perguntas

1. Faça uma relação das maneiras pelas quais você experimentou a amável bondade do Senhor em sua vida. Como essas experiências influenciam sua prontidão em demonstrar amabilidade aos outros?
2. Em sua cultura, como se expressa amabilidade na prática? Há diferenças entre a amabilidade como fruto do Espírito e simplesmente "ser gentil"?
3. Que passagens da Bíblia você escolheria se desejasse incentivar pessoas a demonstrarem amabilidade umas às outras?

6
Bondade

Paulo coloca bondade e amabilidade lado a lado, e é claro que elas têm muito em comum. Uma das coisas que a Bíblia costuma associar a ambas é a generosidade. Jesus contou a história do dono de uma vinha que contratou empregados para trabalhar ali. Alguns trabalharam o dia inteiro e receberam o salário daquele dia. Alguns foram contratados apenas para as últimas horas do expediente, mas o dono da vinha também lhes pagou o salário de um dia inteiro. Os trabalhadores que chegaram mais cedo se queixaram e disseram que não era justo, mas o dono lhes disse: "Você está com inveja porque fui *bondoso* com os outros?" (Mt 20.15; NVI traz "generoso"). A palavra que Jesus emprega aqui é a mesma usada por Paulo. Jesus está dizendo que pessoas boas nem sempre se preocupam com o que é estritamente *justo*, mas preferem "pecar" por excesso de generosidade e bondade. O fato de alguns homens terem sido contratados no final do dia não era culpa deles. Além disso, precisavam do salário de um dia inteiro para comprar alimento para suas famílias. Portanto, o dono da vinha escolheu ser *bondoso* (generoso) quanto a suas necessidades, em vez de ser estritamente *justo* em relação a todos os trabalhadores e pagar apenas uma fração daquilo que os outros haviam recebido.

Quando associamos o adjetivo "bom" a um título ou a uma função (por exemplo, um bom pai, um bom professor, um bom policial ou um bom médico), por vezes queremos dizer que a pessoa não é apenas boa naquilo que faz (competente), mas também sabe ir além dos limites estritos daquilo que sua função exige e age com graça e generosidade de espírito e conforme a "bondade de seu coração".

Qual é, então, o cerne da bondade? Que qualidade vemos em alguém quando dizemos a seu respeito: "É uma pessoa verdadeiramente boa"? Creio que um dos elementos fundamentais é a integridade, a ausência de qualquer tipo de malícia ou engano. Uma pessoa verdadeiramente boa não tem dissimulação. É o que parece ser. Suas palavras e comportamentos exteriores correspondem ao que há em seu interior. Não há impostura ou fingimento. Quando fazem o bem, não estão encenando algo para obter boa reputação ou projeção. Pessoas boas fazem o que fazem simplesmente porque é *correto*. A bondade está próxima do que significa ser "puro de coração". Tem uma qualidade transparente. Em termos mais simples, podemos contar com o fato de que a pessoa boa cumprirá suas promessas e fará o que é correto, meramente porque é correto.

Como nos casos anteriores, uma vez que a bondade faz parte do fruto do Espírito de Deus, para começar podemos observar a fonte de toda bondade: o próprio Deus.

1. Deus é bom

Há um verso que cristãos africanos gostam de usar formalmente no culto ou informalmente ao se cumprimentarem.

"Deus é bom!"
"Sempre!"
"Sempre!"
"Deus é bom!"

Essa também é uma declaração fundamental e frequente na Bíblia. Está em toda parte nos salmos: "Deem graças ao SENHOR, porque ele é bom" (Sl 136.1); "Tu és bom e fazes somente o bem; ensina-me teus decretos" (Sl 119.68). Quando Moisés pediu a Deus que lhe mostrasse sua glória, Deus respondeu: "Farei passar diante de você toda a minha bondade e anunciarei diante de você o meu nome, Javé" (Êx 33.19). Deve ter sido uma experiência e tanto para Moisés, e não é de admirar que seu rosto tenha ficado radiante depois disso (Êx 34.5-7; 29—35)! Também não é de admirar que, quando Moisés compôs um de seus cânticos, usou diversas palavras para descrever a bondade de Deus:

> Ele é a Rocha, e suas obras são perfeitas;
> tudo que ele faz é certo.
> É um Deus fiel, que nunca erra,
> é justo e verdadeiro!
>
> Deuteronômio 32.4

Dizer que Deus é bom significa o que acabamos de falar acima. Deus é generoso e confiável, sem engano ou desonestidade, e ele é sempre desse modo, como uma rocha sólida em seu caráter e em todas as suas ações. Na Bíblia, a bondade de Deus é indiscutível. Como um axioma na matemática, é uma verdade declarada, fundamental para todas as outras deduções e cálculos. Não importa quais sejam ou pareçam ser as circunstâncias, Deus *é* bom e Deus *faz* o bem.

Mesmo quando coisas ruins acontecem, Deus pode prevalecer sobre o mal de modo a produzir bons resultados, como José disse a seus irmãos: "Vocês pretendiam me fazer o mal, mas Deus planejou tudo para o bem. Colocou-me neste cargo para que eu pudesse salvar a vida de muitos" (Gn 50.20).

No entanto, é preciso ter cuidado. Isso não significa que as coisas más que as pessoas fazem deixam, de algum modo, de ser más. Não significa que Deus transforma em bem o mal propriamente em dito. Isso seria uma contradição total. Não significa que, em última análise, não há diferença entre bem e mal, "pois tudo dará certo no final". Esse tipo de pensamento dissolve a distinção bíblica fundamental entre bem e mal. Não. José não tentou justificar, minimizar nem negar o mal que seus irmãos haviam feito. Mal é mal. E quando o fizeram, foi de modo intencional. As palavras de José, porém, significam que a bondade de Deus é soberana (pois o bom Deus reina) e que Deus tem poder para produzir bons resultados a partir do mal que as pessoas pretendem e praticam. A bondade de Deus supera o mal para sempre. Deus está no controle, e Deus é bom.

2. Modelos de bondade

Se Deus é absolutamente bom, não é de surpreender que pessoas que vivem próximas de Deus reflitam seu caráter e sejam marcadas por essa mesma qualidade. Daniel é um ótimo exemplo de bondade prática.

Daniel foi administrador político no governo da Babilônia e, já avançado em idade, também no governo da Pérsia. Em sua vida e trabalho cotidianos, tinha "espírito de excelência" (essa é a expressão hebraica, traduzida na NVT por "grande capacidade"). Seus inimigos não encontraram nele nada "para criticar ou condenar", pois "ele era leal, sempre responsável e digno de confiança" (Dn 6.3-4).

Essa é uma descrição notável. Daniel era um homem de confiança no trabalho (e não era "trabalho cristão", mas trabalho secular comum, a serviço do governo). Seu patrão podia confiar nele, e os que trabalhavam sob sua liderança também podiam. Sua bondade e integridade eram transparentes e evidentes para todos.

No entanto, pessoas boas e direitas como ele no local de trabalho podem ser malquistas por aqueles que são corruptos e desejam usar o trabalho para obter riqueza ou poder. E, ao que parece, Daniel era um obstáculo para as ambições de outros membros do governo, que por isso o detestavam e tramaram contra ele. Em Daniel 6, elaboraram um plano para pegá-lo. Sabendo que não havia como encontrar um ponto fraco em seu comportamento no local de trabalho, decidiram usar seu ponto forte na vida pessoal de adoração e oração. Convenceram o rei a publicar um decreto segundo o qual ninguém podia orar para qualquer deus senão para ele por um mês (uma ideia absurda, mas que o rei, em sua vaidade, aceitou).

Quando o decreto foi publicado, Daniel teve de tomar uma decisão: prosseguir com seus hábitos diários de oração ao Deus de Israel ou abrir mão deles por um mês e orar ao rei que, aliás, nem se podia chamar de falso deus, pois não era um deus de modo nenhum! Daniel escolheu fazer o que era certo aos olhos de Deus e continuou a orar diariamente. Fez o que devia fazer apesar do risco de que lhe custaria sua carreira e, possivelmente, sua vida. No capítulo 6, Daniel já era idoso, mas seu hábito de fazer o que era certo, ainda que implicasse riscos, era algo que ele e seus amigos haviam cultivado desde o início da juventude, no capítulo 1. Nessa ocasião, isso o levou a ser lançado na cova dos leões, de onde o Deus a quem ele orava salvou sua vida (para grande alívio do rei).

Esse parece ser outro forte elemento da bondade bíblica: o compromisso de fazer a coisa certa *mesmo que seja custoso ou prejudicial*. Pessoas "boas" resistem à tentação de usar a saída mais fácil de uma situação complicada. Mesmo quando é difícil ou perigoso fazer o que é certo, elas escolhem esse caminho. Perseveram na prática do que é correto, não obstante as consequências. Por esse motivo, pessoas boas geralmente também são corajosas e, não raro, pagam um alto preço por sua integridade.

Outra palavra bastante próxima de bondade no Antigo Testamento é justiça. Diante do amor, da graça e da salvação de Deus, a pessoa justa procura viver conforme as instruções de Deus e fazer o que é certo aos olhos dele, *não* como esforço para obter o favor de Deus, mas em gratidão por suas bênçãos. O Antigo Testamento traz várias descrições do que é típico do justo. Uma das mais vívidas é o salmo 15:

> Senhor, quem pode ter acesso a teu santuário?
> Quem pode permanecer em teu santo monte?
> Quem leva uma vida íntegra e pratica a justiça;
> quem, de coração, fala a verdade.
> Quem não difama os outros,
> não prejudica o próximo,
> nem fala mal dos amigos.
> Quem despreza os que têm conduta reprovável,
> e honra os que temem o Senhor,
> e cumpre suas promessas mesmo quando é prejudicado.
> Quem empresta dinheiro sem visar lucro
> e não aceita suborno para mentir sobre o inocente.
> Quem age assim jamais será abalado.

Observe o verso sobre cumprir as promessas mesmo quando é prejudicado. Essa é uma das características da bondade bíblica. A pessoa boa resiste à tentação de se esquivar de cumprir uma promessa, falar a verdade ou agir de modo honesto.

Quase sempre, há uma opção disponível. A boa escolha, porém, é a escolha certa, mesmo quando também é a difícil.

3. Jesus "foi por toda parte fazendo o bem"

É desse modo que Pedro descreve Jesus a Cornélio e sua família (At 10.38). Não significa *apenas* que Jesus fez muitas coisas boas e generosas a outros (é óbvio que sim). Também significa que Jesus fez o que era certo. Agiu conforme a vontade de Deus, seu Pai, mesmo quando poderia ter escolhido um caminho mais fácil. Jesus foi um homem de bondade, o que se observa em sua integridade justa. Não se desviou daquilo que sabia que era a vontade de seu Pai para ele.

Pense nas muitas vezes em que foi oferecida a Jesus uma alternativa, uma saída fácil, ou em que ele se viu diante da escolha de tomar um caminho diferente daquele que o levaria à cruz.

- O diabo o tentou três vezes a escolher um caminho mais fácil, por meio de popularidade, de feitos espetaculares que desafiassem a morte ou de poder político. Jesus, porém, resistiu e escolheu o caminho do Servo sofredor e do Filho obediente, a identidade que seu Pai havia confirmado em seu batismo.
- Simão Pedro tentou demovê-lo da ideia de sofrimento e crucificação, mas Jesus o repreendeu.
- Sua mãe e seus irmãos amados tentaram convencê-lo a voltar para casa com eles e desistir de um ministério público arriscado e constrangedor. Jesus, porém, afirmou que sua verdadeira mãe e seus verdadeiros irmãos eram aqueles que faziam a vontade de seu Pai.

- No jardim do Getsêmani, ansiou desesperadamente por uma alternativa àquilo que estava diante dele no dia seguinte. Escolheu, contudo, fazer a vontade do Pai.
- Ao ser preso, sabia que poderia ter convocado uma legião de anjos para salvá-lo, mas não o fez.
- Até mesmo Pôncio Pilatos o tentou com a possibilidade de libertação enquanto a cruz estava diante dele. Jesus, porém, recusou.

A despeito de todas essas tentações e possíveis desvios, Jesus demonstrou sua bondade por meio da integridade e da determinação de fazer o que era certo, de fazer a vontade de seu Pai. Foi, como Paulo disse, "obediente até a morte".

4. Fazer o bem como fruto do Espírito em nós

A bondade de Deus é vista na bondade de Jesus, e por isso também é fruto do Espírito. A bondade nasce da vida de Deus dentro de nós. Aquilo que Jesus fazia vinha de quem ele era em seu coração, sua mente e suas motivações. A bondade é algo do coração. Vem de dentro. Aquilo que somos em nosso exterior é como fruto, e fruto é evidência do que está acontecendo por dentro, da natureza em si da árvore.

Jesus apresenta esse fato de modo bastante claro:

> Uma árvore boa não produz frutos ruins, e uma árvore ruim não produz frutos bons. Uma árvore é identificada por seus frutos. Ninguém colhe figos de espinheiros, nem uvas de arbustos espinhosos. A pessoa boa tira coisas boas do tesouro de um coração bom, e a pessoa má tira coisas más do tesouro de um coração mau. Pois a boca fala do que o coração está cheio.
>
> Lucas 6.43-45

Aquilo que fazemos mostra quem somos. Nossas ações (do lado de fora) mostram o que (ou melhor, quem) está do lado de dentro. Portanto, se Cristo, por meio de seu Espírito Santo, vem habitar em nossa vida, cada vez mais começamos a demonstrar o caráter de Jesus em nosso modo de pensar, falar e agir. Não chegaremos a ser perfeitos (nesta vida), mas o fruto começará a crescer.

Desse poço profundo de bondade no coração, que flui da vida do Espírito de Deus em nós, conforme o exemplo de Jesus, extraímos a água que regará o fruto do Espírito,

- ao *sermos* bons em pensamentos, atitudes, palavras e ações;
- ao *fazermos* o bem, não como reformadores idealistas e intrometidos, mas como praticantes do bem.

Além de a bondade do Espírito Santo se desenvolver em nós, começamos a observar e incentivar o mesmo fruto em outros. Sabemos que é somente pela graça de Deus que estamos sendo transformados. E, portanto, quando vemos a graça de Deus operando na vida de outros, nós nos enchemos de alegria. Vemos a semelhança de família, pois somos filhos do mesmo Pai, discípulos do mesmo Senhor, e dentro de nós habita o mesmo Espírito.

Essa capacidade de ver a bondade operando na vida de outros caracterizava Barnabé. É fácil gostar de Barnabé, pois, fazendo jus a seu nome, ele se destacava por sua capacidade de encorajar outros, entre eles, Saulo de Tarso, que veio a ser conhecido como apóstolo Paulo.

Certa ocasião, Barnabé foi enviado em uma missão especial de Jerusalém a Antioquia para averiguar o que estava acontecendo ali. Indivíduos gentios estavam aceitando Jesus à medida que o evangelho também lhes era pregado. A igreja de Antioquia deve ter parecido estranha e incomum para os judeus, pois os cristãos gentios não seguiam os costumes judaicos, e é provável que sua forma de culto também fosse bem diferente — daí Barnabé ser enviado para verificar. De acordo com Lucas, "ao chegar [Barnabé] ali e ver essa demonstração da graça de Deus, alegrou-se muito" (At 11.23).

Gosto demais desse versículo! O primeiro impulso de Barnabé não foi questionar, criticar, nem dizer a esses novos cristãos gentios o que estavam fazendo de errado. Nada disso. Quando viu sinais claros de que a graça de Deus estava operando nesses cristãos, por mais diferentes que fossem dele, ele se alegrou! Deve ser por isso que, logo em seguida, Lucas nos oferece um esboço do caráter de Barnabé com estas palavras: "Barnabé era um *homem bom*, cheio do Espírito Santo e de fé" (At 11.24). E, por causa dessa qualidade abnegada de bondade em Barnabé, a obra da igreja prosseguiu, pessoas foram encorajadas e "uma grande multidão se converteu ao Senhor".

Nossas igrejas precisam de mais pessoas como Barnabé, que demonstrem bondade de modo simples e humilde, bondade produzida pelo Espírito Santo que lhes permita reconhecer a graça de Deus até mesmo em indivíduos e lugares desconhecidos.

5. A prática do bem como parte essencial da vida cristã

No Sermão do Monte, Jesus ensina seus discípulos. Esses discípulos são aqueles que aceitaram seu convite para se arrepender e crer nas boas-novas do reino de Deus e que assumiram o compromisso de viver de acordo com os padrões e os valores do reino. Viver no reino de Deus significa viver sob o governo de Deus, tendo Deus como rei. Também significa uma mudança radical de modo de vida e de atitude a fim de refletir ou imitar a Deus, nosso Pai celeste. O Sermão do Monte não é um *novo conjunto de regras*. Antes, é a descrição de um *novo tipo de vida*. Descreve o modo de pensar e comportar-se que deve caracterizar os seguidores de Jesus quando entram no reino de Deus, ou seja, quando sujeitam-se ao governo de Deus em sua vida e reconhecem que Jesus é Senhor e Rei de todas as coisas.

Jesus diz que esse tipo de vida deve ser como sal. O sal era usado para impedir que a carne apodrecesse. Combatia o processo natural de decomposição e corrupção. Jesus deixa implícito, portanto, que em um mundo podre e corrompido pelo pecado seus discípulos devem se opor a essa corrupção pelo modo como vivem e falam. Devemos ser diferentes, tão distintos como o sal é da decomposição.

Em seguida, Jesus diz a seus discípulos: "Vocês são a luz do mundo" (Mt 5.14). É provável que tenham se espantado com essa declaração. A que ele estava se referindo? Seriam pregadores da verdade do evangelho que trariam luz a pessoas nas trevas da ignorância e do pecado? Claro que, para Jesus, essa era parte da incumbência geral da missão apostólica, como Paulo explica por meio da mesma metáfora em 2Coríntios 4.4-6. Veja, porém, o que Jesus enfatiza quando explica o que quer dizer com "luz". Ele não declara: "Sua luz deve brilhar para que as pessoas ouçam seu testemunho pessoal, ou escutem sua excelente pregação". Não. Eis o que ele afirma: "Suas boas obras devem brilhar, para que todos as vejam e louvem seu Pai, que está no céu" (Mt 5.16).

Quando Jesus fala de "luz" nessa passagem, refere-se à *vida* (e não apenas a palavras). Exorta-os a terem uma vida atraente[1] por ser repleta de bondade, misericórdia, amor, compaixão e justiça. Esse tipo de *bondade prática* atrairá pessoas para Cristo e, por fim, as levará a conhecer e glorificar a Deus, o Pai.

Como em tantas outras ocasiões, quando disse a seus discípulos que eram a "luz do mundo", Jesus lançou mão de uma forte tradição do Antigo Testamento. Deus havia chamado *Israel* para ser "luz para as nações". E esse papel abrangia seu modo de vida como sociedade. "Luz" tinha um forte significado ético e social. Veja o que Isaías diz e observe a combinação de "luz" e "justiça" no sentido explicado acima. A luz brilha de pessoas comprometidas com a compaixão e com a justiça.

> Este é o tipo de jejum que desejo:
> Soltem os que foram presos injustamente,
> aliviem as cargas de seus empregados.
> Libertem os oprimidos,
> removam as correntes que prendem as pessoas.
> Repartam seu alimento com os famintos,
> ofereçam abrigo aos que não têm casa.
> Deem roupas aos que precisam,
> não se escondam dos que carecem de ajuda.
> Então *sua luz* virá como o amanhecer,
> e suas feridas sararão num instante.
> *Sua justiça* os conduzirá adiante,
> e a glória do SENHOR os protegerá na retaguarda. [...]
> Deem alimento aos famintos
> e ajudem os aflitos.
> Então *sua luz* brilhará na escuridão,
> e a escuridão ao redor se tornará clara como o meio-dia.
>
> Isaías 58.6-8,10

[1] O termo traduzido por "boas" é *kalos*, que significa "belas", e não apenas moralmente corretas.

Um pouco mais adiante, Isaías acrescenta que essa luz, isto é, a luz da compaixão, da justiça e do cuidado prático dos necessitados, não apenas manifesta a presença e a glória de Deus no meio de seu povo, mas também atrai as nações. Essa é uma visão que reflete a promessa de Deus a Abraão de que as nações seriam abençoadas. É a "luz" que exerce atração missional (Is 60.1-3). Quando o povo de Deus vive à maneira de Deus, quando dá exemplo da bondade dele para com outros, leva-os a enxergar a verdade a respeito de Deus e a conhecê-lo e glorificá-lo. Essa ideia não se liga perfeitamente ao que Jesus disse sobre fazer nossa luz brilhar no mundo ao realizar boas obras?

No Antigo Testamento, portanto, Deus ordenou que Israel fosse um povo comprometido com o exercício prático e realista de compaixão e justiça. Jesus não apenas reforçou essa ordem para seus discípulos, mas a aprofundou radicalmente. Na Grande Comissão, Jesus ordenou que transmitissem seu ensino aos novos discípulos que fariam ("Ensinem esse novos discípulos a obedecerem a todas as ordens que eu lhes dei" [Mt 28.20]). Tanto em sua vida na comunidade de discípulos como em sua missão de fazer discípulos, deviam refletir a bondade do Deus que cuida dos pobres e necessitados e que defende a causa das viúvas e dos órfãos. Devemos ser caracterizados por essa mesma bondade, como discípulos de Jesus nos quais a vida de Cristo habita por meio de seu Espírito.

O apóstolo Paulo também tem muito a dizer a respeito da importância de os cristãos serem pessoas que fazem o bem. Por vezes, não enfatizamos esse fato tanto quanto deveríamos. Aliás, parecemos ter medo de levar a sério (ou pregar sobre) o que Paulo diz a respeito de boas obras na vida dos cristãos (e ele diz muita coisa, como veremos em um instante). Isso se deve, obviamente, a nosso forte compromisso com a doutrina da "justificação pela graça somente e por meio da fé somente". Afirmamos com veemência que *não podemos ser salvos* por boas obras. E, portanto, minimizamos tudo o que Jesus, Paulo e o restante do Novo Testamento dizem a respeito de fazer o bem. Não queremos dar a impressão de que nossas boas obras podem nos tornar merecedores da salvação. Claro que isso é verdade, e é parte essencial do evangelho da graça. No entanto, Paulo, tão insistente sobre a impossibilidade de sermos salvos *por* boas obras, insistia igualmente que somos salvos *para realizar* boas obras. Não somos, nem jamais poderíamos ser, salvos *por* boas obras que realizamos, não importa quantas forem. Somos salvos pela graça de Deus *a fim de* ter uma vida transformada, da qual a prática do bem é parte fundamental.

Paulo coloca as duas verdades lado a lado em Efésios 2, nas orações que marquei em itálico:

> Vocês são salvos pela graça, por meio da fé. Isso não vem de vocês; é uma dádiva de Deus. *Não é uma recompensa pela prática de boas obras,* para que ninguém venha a se orgulhar. Pois somos obra-prima de Deus, criados em Cristo Jesus *a fim de realizar as boas obras* que ele de antemão planejou para nós.
>
> Efésios 2.8-10

Ele faz o mesmo em sua carta a Tito, argumentando claramente de modo positivo e negativo (como mostram as orações que marquei em itálico):

> Mas, quando Deus, nosso Salvador, revelou sua bondade e seu amor, *ele nos salvou não porque tivéssemos feito algo justo, mas por causa de sua misericórdia.* Ele nos lavou para remover nossos pecados, nos fez nascer de novo e nos deu nova vida por meio do

> Espírito Santo. Generosamente, derramou o Espírito sobre nós por meio de Jesus Cristo, nosso Salvador. Por causa de sua graça, nos declarou justos e nos deu a esperança de que herdaremos a vida eterna. Essa é uma afirmação digna de confiança, e quero que você insista nesses ensinamentos, *para que todos os que creem em Deus se dediquem a fazer o bem.*
>
> Tito 3.4-8

Desde que fique absolutamente claro que as boas obras não são a fonte ou a base de nossa salvação, Paulo assevera que, depois de termos experimentado a salvação concedida por Deus, somos chamados a responder a sua graça salvadora e a seu amor redentor com um modo de vida caracterizado pela bondade. Como pessoas salvas pela graça, devemos ter o compromisso de ser e fazer o que é bom e correto em nossa vida pessoal e pública, na igreja e no mundo.

Comentei acima que Paulo tinha muito a dizer sobre "fazer o bem". Ele argumenta em favor dessa questão na maioria de suas cartas com uma notável concentração de exemplos na breve carta para Tito.

- "Odeiem tudo o que é mau. *Apeguem-se firmemente ao que é bom*" (Rm 12.9).
- "Deus é capaz de lhes conceder todo tipo de bênçãos, para que, em todo tempo, vocês tenham tudo de que precisam, e muito mais ainda, *para repartir com outros*" (2Co 9.8; isto é, com generosidade).
- "Portanto, não nos cansemos *de fazer o bem* [...] sempre que tivermos oportunidade, façamos o bem a todos, especialmente aos da família da fé" (Gl 6.9-10).
- "Então vocês viverão de modo a sempre honrar e agradar ao Senhor, *dando todo tipo de bom fruto*" (Cl 1.10).

- "Quanto a vocês, irmãos, nunca se cansem *de fazer o bem*" (2Ts 3.13).
- "[O bispo] deve ser hospitaleiro e *amar o bem*. Deve viver sabiamente, ser justo e ter uma vida de devoção e disciplina" (Tt 1.8).
- "Semelhantemente, as mulheres mais velhas devem viver de modo digno. Não devem ser caluniadoras, nem beber vinho em excesso; antes, devem *ensinar o que é bom*" (Tt 2.3).
- "Você mesmo deve ser exemplo da *prática de boas obras*" (Tt 2.7).
- "Ele entregou sua vida para nos libertar de todo pecado, para nos purificar e fazer de nós seu povo, *inteiramente dedicado às boas obras*" (Tt 2.14).
- "Lembre a todos que se sujeitem ao governo e às autoridades. Devem ser obedientes e sempre *prontos a fazer o que é bom*. Não devem caluniar ninguém, mas evitar brigas. Que sejam amáveis e mostrem a todos verdadeira humildade" (Tt 3.1-2).
- "[...] para que todos os que creem em Deus *se dediquem a fazer o bem*" (Tt 3.8).
- "Nosso povo deve aprender *a fazer o bem*" (Tt 3.14).

Por que Paulo dá ênfase tão forte à necessidade de os cristãos serem pessoas que realizam boas obras? Por que, em outras palavras, a bondade é parte essencial do fruto do Espírito, que deve ficar evidente em nossa vida por meio de nosso caráter, nossas atitudes, nosso modo de pensar e nosso comportamento?

Um dos principais motivos é que a bondade reflete a natureza e a verdade do evangelho. Aliás, reflete a dinâmica da cruz e da ressurreição. Quando Paulo diz: "Não deixem que o mal os vença, mas vençam o mal praticando o bem" (Rm 12.21), expressa exatamente o que Deus fez na cruz. Ali, a bondade de Deus venceu todo o mal humano e satânico na criação ao tomá-lo sobre si na pessoa de Jesus. A cruz é a expressão suprema da bondade de Deus, e a ressurreição provou sua vitória. *A bondade vence o mal*. Essa é a história maior da Bíblia. Esse é o cerne do evangelho. E essa é nossa esperança para o futuro.

Quando enfrentamos o mal presente no mundo com amabilidade e bondade, não apenas produzimos o fruto sobrenatural do Espírito de Deus em nós, mas também vivemos no poder da cruz e da ressurreição e antevemos a vitória final da bondade de Deus sobre todo mal no universo. De fato, *aplicamos* essa vitória da cruz e da ressurreição. *Não* (jamais, de modo algum) fazemos o bem para nos tornarmos merecedores da salvação. Antes, ao fazer o bem mostramos o poder salvífico e transformador do evangelho.

A cruz e a ressurreição não são apenas prova da bondade *de Deus*; também são fonte e paradigma de toda a bondade que *nós* podemos praticar como cristãos.

Oremos por poder do Espírito para produzir esse fruto do Espírito e cultivá-lo em nossa vida diária, especialmente no âmbito público de nosso trabalho e em todos os nossos relacionamentos sociais.

Faça o que é bom! Faça o que é certo! E deixe as consequências nas mãos de Deus.

Perguntas

1. Que outros personagens da Bíblia são semelhantes a Barnabé, "*homem bom*, cheio do Espírito Santo e de fé"? O que

nos mostram a respeito da bondade como aspecto do fruto do Espírito?

2. Há exemplos de pessoas em sua cultura (no passado ou no presente) que fizeram o que era bom e certo, mesmo com dificuldade ou a um alto preço?
3. Planeje um sermão ou estudo bíblico que ensine claramente como as boas obras não são a base para nossa salvação, mas são o modo como devemos viver uma vez que experimentamos a salvação concedida por Deus.

7
Fidelidade

"Muito bem, servo bom e fiel..." (Mt 25.21,23). Todos os seguidores de Jesus almejam ouvir essas palavras conhecidas de uma de suas parábolas. Ao amar e servir a Cristo ao longo da vida, desejamos ser servos *fiéis*. E, de acordo com Paulo, podemos ser fiéis se permitirmos que o Espírito Santo produza essa porção do fruto em nossa vida. Mas o que isso significa? A meu ver, a palavra "fidelidade" tem dois elementos interligados.

Ser fiel significa ser *confiável e fidedigno*. A pessoa fiel é honesta e íntegra, alguém em quem podemos confiar. É uma pessoa de palavra, que cumpre suas promessas. Podemos estar certos de que não trapaceará nem enganará.

Significa, também, exercitar esse tipo de comportamento confiável *durante um longo tempo*. A pessoa fiel provou que é digna de confiança em longo prazo. Não é preciso verificar continuamente se ela está fazendo o que deve. Não é preciso se preocupar que, embora tenha feito um bom trabalho na semana passada, talvez o decepcione esta semana. Pessoas fiéis mostram que são rotineiramente confiáveis em diversos aspectos e circunstâncias. A fidelidade é característica de *alguém em quem você sabe que pode confiar a todo tempo*.

Sem dúvida, essa descrição se aplica perfeitamente a Deus. Por isso a fidelidade é um aspecto do fruto do Espírito de Deus que opera em nós.

1. A fidelidade de Deus

Você consegue pensar em algo que a Bíblia diga a respeito de Deus com mais frequência? Um dos mais antigos poemas das Escrituras descreve Deus como "Rocha" e destaca as qualidades que inspiraram a metáfora:

> Proclamarei o nome do SENHOR;
> exaltemos o nosso Deus!
> Ele é a Rocha, e suas obras são perfeitas;
> tudo que ele faz é certo.
> *É um Deus fiel*, que nunca erra,
> é justo e verdadeiro!
>
> Deuteronômio 32.3-4

Os salmos celebram sua fidelidade em diversas passagens:

> O SENHOR conduz com amor e fidelidade
> a todos que cumprem sua aliança e obedecem a seus preceitos.
>
> Salmos 25.10

> Pois a palavra do SENHOR é verdadeira
> e podemos confiar em tudo que ele faz.
>
> Salmos 33.4

> Teu amor, SENHOR, é imenso como os céus;
> tua fidelidade vai além das nuvens.
>
> Salmos 36.5

Suponhamos que você pudesse se aproximar de um dos israelitas que escreveram cânticos como esses e lhe perguntar: "Com licença, *como você sabe disso*? Como pode ter certeza de que o Senhor, seu Deus, é tão fiel?". Creio que ele o teria chamado à parte, feito você sentar-se e lhe contado a história deles, a magnífica história do povo de Israel no Antigo Testamento.

Volte às descrições de Deus no salmo 33: fidelidade, justiça, amor. Para um israelita, o relato do êxodo provava todas essas qualidades. "Você perguntou a respeito da fidelidade do Senhor?", seu amigo israelita talvez dissesse. "Ele cumpriu sua promessa a Abraão quando nos tirou do Egito. Você perguntou a respeito da justiça de Deus? Ele a mostrou quando julgou os egípcios pela exploração econômica e opressão genocida de nossos antepassados. Você perguntou a respeito do amor dele? Ouça como Deus nos suportou, com todas as nossas queixas e rebeldia no deserto, como nos deu alimento e água e nos protegeu de nossos inimigos. Em razão de tudo isso, sei que Deus é fiel. Venha e cante o salmo comigo!"

Os israelitas conheciam suas narrativas e cantavam continuamente sobre a fidelidade de Deus, pelo simples fato de que Deus a havia provado nos longos séculos de sua história. Sabiam que Deus era digno de confiança, pois ele havia cumprido todas as suas promessas.

Portanto, mesmo quando os israelitas estavam sofrendo sob o julgamento divino por seu pecado, ainda assim voltaram e apelaram para essa característica de Deus, suplicando que ele fosse fiel a suas promessas de restauração. Deus seria fiel. Ele cumpriria não apenas suas ameaças, mas também suas promessas.

"Tu és fiel, Senhor." Essa é a primeira linha de um conhecido hino cristão. As palavras do hino original em inglês são extraídas de uma passagem central de Lamentações ("Grande é sua fidelidade"; Lm 3.22-23). Esse livro surgiu em um dos momentos mais terríveis da história de Israel no Antigo Testamento, em que Jerusalém havia sido destruída, o templo, incendiado e o povo, exilado sob o julgamento de Deus por causa de seu pecado. E, no entanto, até mesmo nessas circunstâncias horrendas, mesmo quando estavam sofrendo as consequências *da própria infidelidade*, ainda assim podiam declarar a fidelidade eterna de Deus. Essas palavras são como um raio de luz em meio à escuridão assustadora que os cerca em Lamentações. Deus é digno de confiança, mesmo quando a fé e a esperança parecem ter se despedaçado nas rochas do pecado e do sofrimento.

Evidentemente, o apóstolo Paulo tinha essas Escrituras guardadas nos lugares mais profundos de seu coração e de sua memória. Não é de surpreender que, com frequência, ele lembre seus leitores da fidelidade de Deus, provada plenamente na vida, morte e ressurreição de Jesus, o Messias:

> Deus é fiel, e ele os convidou a ter comunhão com seu Filho Jesus Cristo, nosso Senhor.
>
> 1Coríntios 1.9

> Deus é fiel, e ele não permitirá tentações maiores do que vocês podem suportar. Quando forem tentados, ele mostrará uma saída para que consigam resistir.
>
> 1Coríntios 10.13

> Que o espírito, a alma e o corpo de vocês sejam mantidos irrepreensíveis até a volta de nosso Senhor Jesus Cristo. Aquele que os chama fará isso acontecer, pois ele é fiel.
>
> 1Tessalonicenses 5.23-24

Deus é digno de confiança. Não há dúvidas a esse respeito.

Mas será que o povo de Deus é digno de confiança? Infelizmente, não muito. A história do Israel do Antigo Testamento é uma narrativa de repetida e ofensiva infidelidade a Deus. A infidelidade de Israel a Javé, o Deus da aliança, é retratada nos profetas (especialmente em Oseias e Jeremias) como a infidelidade em um casamento. Sabemos que a infidelidade conjugal cria abismos de traição, ingratidão e dor. Foi o que Deus sentiu quando sua fidelidade colidiu com a infidelidade de Israel.

Também neste caso, porém, precisamos ter cuidado. Não devemos nos sentir virtuosos em condenar os israelitas do Antigo Testamento; afinal, a história da igreja cristã não foi muito melhor até aqui. A infidelidade do povo de Deus ao longo dos séculos e a impressionante e contrastante fidelidade de Deus para com seu povo apesar de suas falhas é um dos temas mais evidentes e constantes da Bíblia e da história da igreja.

No entanto, houve exceções. Muitos homens e mulheres do Antigo Testamento demonstraram fidelidade exemplar a Deus e ao chamado dele em sua vida por meio de compromisso e obediência persistentes, vitalícios e custosos. Hebreus 11 relaciona alguns dos exemplos mais extraordinários de fé e fidelidade. Consideremos apenas um deles: Moisés. Creio que as histórias de Moisés têm muito a nos ensinar sobre aquilo que Paulo queria dizer quando falou de fidelidade como um aspecto do fruto do Espírito.

2. A fidelidade de Moisés

Ao falar sobre Jesus Cristo, o escritor de Hebreus o compara a Moisés no que diz respeito a sua fidelidade.

> Portanto, irmãos santos que participam do chamado celestial, considerem atentamente a Jesus, que declaramos ser Apóstolo e Sumo Sacerdote. Pois ele foi fiel àquele que o designou, assim como *Moisés serviu fielmente quando lhe foi confiada toda a casa de Deus*.
>
> Hebreus 3.1-2

A última parte da frase, que se refere a Moisés, na verdade é uma citação de palavras de Deus. Veja o relato de Números 12. Moisés estava enfrentando uma crise em sua família. Arão e Miriã haviam questionado a autoridade de seu irmão; como homem manso, porém, Moisés havia permanecido calado. Deus, então, se pronunciou em sua defesa e disse:

> Se houver profeta entre vocês,
> eu, o SENHOR, me revelarei em visões;
> falarei com ele em sonhos.
> Não é assim, porém, com meu servo Moisés;
> *ele tem sido fiel em toda a minha casa.*
> Falo com ele face a face,
> claramente, e não por meio de enigmas;
> ele vê a forma do SENHOR.
> Como vocês ousaram
> criticar meu servo Moisés?
>
> Números 12.6-8

Por que Deus destacou essa característica de fidelidade em Moisés? Se você ler toda a narrativa em Números 11—16, verá a lista de problemas que Moisés teve de enfrentar como líder:

- Provisão de comida (Nm 11) — como alimentar todos com carne?
- Confusão por causa dos dons do Espírito (Nm 11.24-30) — nada mudou!
- Críticas de seus familiares a respeito de seu casamento (Nm 12).
- Desânimo da maioria dos espias enviados a Canaã (Nm 13).
- Rebeldia descontente do povo todo (Nm 14.1-9).
- Ameaças de morte (Nm 14.10).
- Rebelião de importantes líderes das tribos (Nm 16).

E, no entanto, em meio a uma sucessão de crises, Moisés permaneceu fiel à incumbência que Deus tinha lhe dado. Deus sabia que podia confiar nele, mesmo sob forte pressão. É por isso que o próprio Deus elogia Moisés por sua fidelidade.

Nesses relatos em Números, vejo a fidelidade de Moisés especificamente em duas áreas, e ambas são fortes exemplos para o líder cristão que deseja ser caracterizado por fidelidade.

a) Ausência total de ciúme egoísta (Nm 11)

Ao longo do relato de Números 11, dois homens (Eldade e Medade) não acompanharam os demais anciãos de Israel quando Deus "repartiu" o Espírito que tinha dado a Moisés com o grupo mais amplo para que pudessem ajudar Moisés a carregar o fardo da liderança. Eldade e Medade ficaram no acampamento (o texto não dá o motivo; talvez estivessem doentes ou não soubessem que dia era). No entanto, Deus não os excluiu. "Profetizaram ali no acampamento" (Nm 11.26).

Alguém, então, correu para contar a Moisés que duas pessoas estavam profetizando no acampamento sem a permissão ou supervisão dele. Essa história poderia fugir do controle! Josué interrompe e diz: "Moisés, meu senhor, faça-os parar!". Josué era o segundo no poder depois de Moisés. Não raro, pessoas que ocupam esse cargo se mostram ansiosas para proteger a autoridade do líder (uma vez que seu cargo depende de manter o líder no cargo dele). Josué considera esse afloramento carismático não autorizado e não supervisionado uma ameaça para Moisés (e, consequentemente, talvez para ele próprio). Sua reação é clássica: "Precisamos detê-los de imediato!".

Gosto de como Moisés responde a Josué. Imagino que tivesse um brilho nos olhos quando o repreendeu: "Você está com ciúmes por mim? Que bom seria se todos do povo do SENHOR fossem profetas e se o SENHOR colocasse seu Espírito sobre todos eles!" (Nm 11.29).

Se Deus queria espalhar seus dons, não era problema para Moisés. Ele não precisava monopolizar o Espírito de Deus. Se outros pudessem participar do dom que Deus tinha lhe dado, melhor. Quanto mais pessoas tivessem o Espírito, talvez menos perturbassem Moisés com seus problemas. Moisés não tinha desejo algum de guardar para si o Espírito de Deus e seus dons a fim de fortalecer sua autoridade. Antes, desejava servir a Deus e seu povo como aprouvesse a Deus. Era fiel tanto a Deus como ao povo. Ser fiéis a Deus e a seu povo significa que não temos ciúmes de outros, nem ficamos chateados quando outras pessoas exercem dons espirituais que consideramos nossos. Moisés demonstrou sua fidelidade ao ser isento desse tipo de ciúme egoísta.

b) Ausência total de ambição egoísta (Nm 14)

Mais adiante na mesma história, o povo se rebelou novamente e se recusou a entrar na terra prometida. Pela segunda vez (a primeira foi no monte Sinai em Êx 32—24), Deus ameaçou destruir os israelitas e recomeçar com Moisés. Em outras palavras, Deus ainda criaria um povo para seu propósito, mas não seria mais constituído dos filhos de Israel, descendentes de Abraão. Seria constituído dos "filhos de Moisés".

Moisés não aceitou. Quando pensamos em todo o incômodo e tristeza que estava sofrendo por causa do povo, deve ter sido uma grande tentação imaginar-se livre dos israelitas, com a perspectiva de começar de novo com sua família. Mas não era o que Moisés queria. Ele rejeita a sugestão de Deus e suplica para que Deus perdoe o povo. A história surpreendente é relatada em Números 14.10-19 e relembrada em Deuteronômio 9.13-29.

O que vemos em Moisés, portanto, é ausência de ambição de construir um império para si. Ele não tinha desejo algum de receber a glória de ser o fundador de uma grande nação. Antes, toda sua vida, seu trabalho, sua oração e seu anseio era servir o povo, *seu povo*, o povo que Deus havia confiado a sua liderança relutante desde o arbusto em chamas. Discutiria até mesmo com Deus para não se desviar desse chamado. Isso é verdadeira fidelidade. Para Moisés, significou quarenta anos de obediência fiel a Deus e liderança fiel sobre um povo extremamente ingrato, durante duas gerações, fazendo um trabalho que, para começo de conversa, ele nem queria!

Escolhi Moisés como exemplo notável de fidelidade. É possível selecionar outros personagens bíblicos e fazer uma lista de acontecimentos da vida deles que revelam fidelidade. Pense em José, Samuel, Rute, Daniel, Jeremias. De que maneira eles provaram sua fidelidade na prática, enquanto Deus operava em sua vida?

3. Fidelidade no ensino e no exemplo de Jesus e de Paulo

a) Jesus

Conforme Hebreus destacou, Jesus foi fiel como Filho de Deus ainda mais que Moisés foi fiel como servo de Deus. Jesus foi fiel à tarefa que veio realizar. Fez a vontade de seu Pai e concluiu o trabalho do qual tinha sido incumbido, apesar de todas as tentações e obstáculos humanos e satânicos. No fim de sua vida, ao preparar-se para ser obediente até a morte, pôde dizer ao Pai: "Eu te glorifiquei aqui na terra, completando a obra que me deste para realizar" (Jo 17.4).

E, portanto, Jesus pediu fidelidade entre seus seguidores. Seguir Jesus requer compromisso e perseverança. Significa negar a si mesmo e tomar a cruz. Não é para os que começam com entusiasmo e logo desistem. Não é para os que se envolvem com outras prioridades de toda espécie. Não é para os que dizem: "Senhor! Senhor!" para Jesus, mas nunca fazem o que ele ordena. Não é para os que desejam um caminho fácil. As bem-aventuranças apontam para um tipo de vida bem diferente dentro do reino de Deus, um tipo oposto à vida despreocupada de luxo e comodidade.

A citação no começo deste capítulo ("Muito bem, servo bom e fiel") é da conhecida parábola de Jesus sobre os talentos confiados pelo senhor a seus servos. Na história, essas palavras são ditas aos dois servos que usaram para beneficiar seu senhor aquilo que lhes foi confiado. Trabalharam com o que tinham e produziram um bom resultado para ele. Por isso, o senhor chama cada um deles de "servo bom e fiel" (Mt 25.14-23). Eram *bons* porque identificaram qual era a coisa certa a fazer e a fizeram, e eram *fiéis* porque eram dignos de confiança e não tentaram enriquecer à custa do patrão.

Essa parábola, como as outras em Mateus 25, não trata diretamente de dinheiro em si; antes, é uma dentre várias ilustrações usadas por Jesus para falar sobre a urgência do reino de Deus e as responsabilidades daqueles que conhecem e servem o Rei. Houve ocasiões, porém, em que Jesus falou sobre dinheiro e riqueza de forma literal. Deu advertências severas a respeito do apego a bens materiais. Também afirmou que ao manejarmos dinheiro, quaisquer que sejam as circunstâncias, precisamos ser plenamente confiáveis, ser pessoas íntegras e honestas. A fidelidade abrange prestação de contas nos âmbitos material e espiritual.

> Se forem fiéis nas pequenas coisas, também o serão nas grandes. Mas, se forem desonestos nas pequenas coisas, também o serão nas maiores. E, se vocês não são confiáveis ao lidar com a riqueza injusta deste mundo, quem lhes confiará a verdadeira riqueza? E, se não são fiéis com os bens dos outros, por que alguém lhes confiaria o que é de vocês?
>
> Ninguém pode servir a dois senhores, pois odiará um e amará o outro; será dedicado a um e desprezará o outro. Vocês não podem servir a Deus e ao dinheiro.
>
> Lucas 16.10-13

Jesus foi extremamente claro. O grande inimigo do serviço a Deus é "Mamom", isto é, não apenas o dinheiro em si, mas o dinheiro como fonte poderosa e sedutora de tentação e idolatria. A infidelidade por causa de dinheiro foi a derrocada de muitos cristãos e, especialmente, de líderes cristãos.

A fidelidade, portanto, requer integridade e prestação de contas, pois requer *confiança*. E só é possível confiar verdadeiramente em alguém quando essa pessoa se mostrou *confiável* sendo honesta e transparente e prestando contas de suas atividades. Se não forem inteiramente confiáveis com relação ao dinheiro, como poderemos confiar nelas quanto a questões pastorais ou espirituais?

b) Paulo

O apóstolo Paulo era muito cauteloso quanto ao manejo de dinheiro. Levantou uma oferta entre as igrejas na Grécia para entregá-la aos cristãos judeus em Jerusalém que estavam sofrendo grande pobreza e necessidade. Paulo fala com frequência dessa oferta (ver Rm 15; 1Co 16; 2Co 8—9). Por certo, era de grande importância para ele do ponto de vista teológico e também por seu evidente propósito prático de suprir uma necessidade. Para o apóstolo, essa oferta em dinheiro era prova tangível de que os cristãos gentios haviam verdadeiramente crido no evangelho e lhe estavam *obedecendo* ao compartilhar seus bens materiais (que não eram muitos; ele diz que também eram pobres) com os cristãos judeus.

Talvez imaginemos que Paulo pudesse simplesmente ter dito: "Entreguem o dinheiro para mim, e eu o levarei a Jerusalém. Confiem em mim. Sou apóstolo!". Mas não foi o que fez. Ele se certificou de que houvesse outras pessoas além dele envolvidas em todos os aspectos do projeto, pessoas confiáveis, nomeadas pelas igrejas. Esses homens supervisionariam a arrecadação e, então, viajariam junto com Paulo para garantir honestidade e transparência.

As providências que Paulo tomou foram bastante complicadas (ver a descrição delas em 1Co 16.3-4; 2Co 8.16-24). Não é fácil identificar todos os envolvidos, mas fica evidente que eram muitos. É provável que também tenha sido oneroso realizar a operação da forma como Paulo a organizou. Sem dúvida, custaria muito mais cinco ou seis homens viajarem da Grécia para Jerusalém do que Paulo ir sozinho; como hoje em dia, a viagem por terra e por mar não era barata.

Os arranjos e as precauções de Paulo na administração da oferta talvez tenham suscitado resistência. Talvez alguém o tenha criticado: "Para que enviar tantas pessoas? Você vai desperdiçar parte da oferta com essas despesas", assim como, por vezes, há quem reclame do custo de fazer uma auditoria de nossas contas. No entanto, Paulo insiste: "Com isso queremos evitar qualquer crítica à nossa maneira de administrar essa oferta generosa. *Tomamos o cuidado de agir honrosamente não só aos olhos do Senhor, mas também diante das pessoas*" (2Co 8.20-21).

Não é uma declaração maravilhosa? Esses versículos deveriam ser um lema para a fidelidade, honestidade e integridade. Deveriam ser pendurados na parede do escritório de todo pastor, líder, igreja ou missão.

Paulo exigiu total prestação de contas de si mesmo e dos envolvidos no manejo desse dinheiro. Essa prestação de contas é parte fundamental da integridade e fidelidade bíblicas. É uma pena que esteja tão ausente em muitos lugares, sobretudo entre pastores e líderes cristãos que exigem que outros confiem neles e jamais os questionem. Então, por não se sujeitarem à prestação de contas como uma dádiva, caem em tentação e sua corrupção traz desonra para si mesmos, para a igreja e até mesmo para o nome de Cristo.

Além disso, Paulo aplicava esse teste de confiabilidade não apenas a si mesmo e seus companheiros, mas até a escravos. Uma vez que os escravos eram tão explorados e maltratados, um escravo podia concluir que não devia coisa alguma a seu senhor, e se tinha a oportunidade de defraudá-lo ou roubar dele, por que não fazê-lo? Paulo diz aos escravos que se tornaram crentes em Jesus que deviam viver com uma atitude diferente. Deviam servir a seus senhores como se estivessem servindo ao Senhor (Ef 6.5-7), o que inclui ser fiéis e confiáveis (como seriam para o Senhor). O apóstolo acrescenta: "Quanto aos escravos [...] devem mostrar-se bons e inteiramente dignos de confiança. Assim, tornarão atraente em todos os sentidos o ensino a respeito de Deus, nosso Salvador" (Tt 2.9-10).

Em outras palavras, fidelidade, honestidade e confiabilidade são qualidades que recomendam o evangelho àqueles que ainda não creem nele.

Uma consideração final

No início do capítulo, dissemos que a fidelidade também abrange compromisso *em longo prazo, firme, confiável, para o resto da vida*. Nesse sentido, a fidelidade inclui lealdade, a dedicação de todo o coração e por toda a vida que nasce do amor e é sustentada por gratidão constante. Esse tipo de compromisso também inclui, evidentemente, fidelidade inabalável a Cristo como nosso Senhor e Salvador. Implica, ainda, fidelidade à Bíblia, ao evangelho, à igreja e à obra da qual Deus nos incumbiu. Significa fidelidade à missão de Deus no mundo e a todos que participam dela junto conosco.

Fidelidade significa saber em que você *crê* de fato, quem você *ama* de fato e com quem está *comprometido* acima de tudo. Significa saber ao certo em função de que você deseja viver e pelo que está disposto a morrer. É o que Eugene Peterson chamou de "uma longa obediência na mesma direção".[1]

Paulo gostava de mencionar em suas saudações esse tipo de fidelidade leal e duradoura. Falava a respeito de alguns de seus companheiros como "irmãos fiéis", uma expressão usada em diversas passagens para Tito, Epafras, Onésimo, Tíquico e Apeles. E, sem dúvida, Paulo teria dito o mesmo a respeito das mulheres mencionadas por ele que trabalhavam "com dedicação para o Senhor": Febe, Priscila, Maria, Júnia, Trifena, Trifosa e Pérside. Gosto muito dessa lista de pessoas em Romanos 16. Torna a questão extremamente pessoal. Esses eram homens e mulheres *reais*; alguns passaram tempo na prisão com Paulo e alguns arriscaram a vida por ele. Eram amigos *fiéis*,

[1] Eugene H. Peterson, *A Long Obedience in the Same Direction: Discipleship in an Instant Society* (InterVarsity Press, 1980) [publicado em português sob o título *Uma longa obediência na mesma direção: Discipulado numa sociedade instantânea*. São Paulo: Cultura Cristã, 2005].

nos quais Paulo sabia que podia confiar. E, portanto, Paulo agradeceu a Deus quando viu o fruto do Espírito na vida deles: sua fidelidade a Deus e a sua missão em comum.

Da mesma forma, Pedro elogia Silas: "Escrevi e enviei esta breve carta com a ajuda de Silas, a quem lhes recomendo como *irmão fiel*. Meu objetivo ao escrever é encorajá-los e garantir-lhes que as experiências pelas quais vocês têm passado são, verdadeiramente, parte da graça de Deus. Permaneçam firmes nessa graça" (1Pe 5.12).

O presbítero João elogia Gaio por "sua fidelidade", por viver "de acordo com a verdade" e por ser "fiel quando cuida dos irmãos" (3Jo 1.3,5). Por certo, era pastor e pregador fiel e apoiava outros fielmente.

E assim, no fim de sua longa vida, Paulo diz as famosas palavras:

> Lutei o bom combate, terminei a corrida e *permaneci fiel*. Agora o prêmio me espera, a coroa de justiça que o Senhor, o justo Juiz, me dará no dia de sua volta. E o prêmio não será só para mim, mas para todos que, com grande expectativa, aguardam a sua vinda.
>
> 2Timóteo 4.7-8

"Muito bem, servo bom e fiel."

Perguntas

1. Prepare uma série de sermões ou estudos bíblicos sobre personagens da Bíblia que, como Moisés, demonstraram fidelidade. Pense, por exemplo, em José, Samuel, Elias, Rute, Daniel, Jeremias e outros.
2. Prepare um sermão ou estudo bíblico que apresente a fidelidade de Deus e, então, exorte seus ouvintes

a refleti-la em seu modo de vida. Que texto ou textos você escolheria?

3. De que maneira sua cultura reconhece e aprova a fidelidade nos relacionamentos humanos? A fidelidade como fruto do Espírito reflete esses valores culturais ou os questiona de algum modo?
4. Há aspectos em que os cristãos de sua igreja ou cultura são tentados a *não* ser fiéis? Como você poderia pregar ou ensinar com base na Bíblia para corrigir esse problema?

8
Mansidão

A mansidão é bastante próxima da paciência. Não é de surpreender que ambas apareçam na lista do fruto do Espírito apresentada por Paulo. O que elas têm de semelhante e de diferente?

Se a paciência é a capacidade de suportar hostilidade e crítica *sem raiva*, a mansidão é a capacidade de suportar essas coisas *sem agressão*. A mansidão se revela quando aprendo que a forma semelhante a Cristo de reagir a conflitos e desavenças, rejeição, injustiça ou palavras ríspidas proferidas contra mim *não* é com gritaria e autodefesa, *não* é com palavras ríspidas e agressivas, *não* é com gestos e expressões faciais cheios de ira, *não* é com hostilidade e provocação. Antes, é com suavidade, controlando a língua e mantendo a calma.

Ser manso significa ter plena consciência de que a outra pessoa também é um ser humano com sentimentos. E talvez essa pessoa, mesmo que esteja sendo extremamente desagradável, também esteja tão magoada quanto eu com o que está acontecendo entre nós. Por isso, se eu revidar com igual ou maior agressividade, só piorarei a situação. Feriremos um ao outro ainda mais, e de que adiantará?

Ser manso não significa, necessariamente, ficar de boca fechada e absorver as agressões (embora, por vezes, esse seja o caminho, como Jesus mostrou quando foi julgado). Uma resposta branda pode ser forte, firme e clara, mas sem raiva maldosa.

A mansidão também é bastante próxima da humildade, e por vezes as duas andam juntas. São, por exemplo, a primeira coisa que Paulo menciona quando instrui seus leitores a viverem de modo digno de seu chamado no evangelho: "Rogo-vos, pois, eu, o prisioneiro no Senhor, que andeis de modo digno da vocação a que fostes chamados, *com toda a humildade e mansidão*, com longanimidade, suportando-vos uns aos outros em amor" (Ef 4.1-2, RA).

1. Mansidão no mundo antigo

No mundo da Grécia e de Roma, o mundo em que Paulo escreveu sua carta aos cristãos na Galácia, a mansidão e a humildade não eram, de modo algum, valorizadas. Aristóteles incluiu a mansidão (o mesmo termo grego que Paulo usa aqui) em suas listas de virtudes. No entanto, era considerada uma virtude um tanto frágil.

Aristóteles definiu "mansidão" como a "média de ouro" (isto é, o meio-termo) entre dois extremos. De acordo com ele, a mansidão é o meio-termo entre ira excessiva (um extremo negativo) e incapacidade de irar-se com coisa alguma, simples apatia (outro extremo negativo). Para Aristóteles, ser manso significava ter uma reação calmamente ponderada a tudo o que vida trazia. A seu ver, a mansidão nesse sentido era algo bom ou, pelo menos, melhor do que ter acessos de raiva ou não se importar com coisa alguma. Mas, sob essa óptica, também é algo negativo, nem uma coisa nem outra. Parece extremamente distante da mansidão positiva e atraente que Paulo tem em mira como aspecto do fruto do Espírito do Deus vivo, exemplificada em sua mais excelente forma em Jesus Cristo.

A mansidão talvez fosse uma virtude reconhecida de má vontade por Aristóteles, mas a humildade (relacionada intimamente à mansidão) era, em geral, *desprezada* na cultura popular greco-romana. Não era, de modo algum, uma virtude; aliás, enfaticamente *não* fazia parte das virtudes heroicas. A humildade era percebida como uma falha de caráter. *Homens de verdade* não eram mansos nem humildes. *Homens de verdade* eram fortes, poderosos e dominantes. Contar vantagem de sua superioridade não era considerado "deselegante" como na sociedade moderna bem-educada. A vanglória era uma arte desenvolvida com zelo. Homens de verdade eram vencedores! E homens de verdade se certificavam de que todos soubessem disso. Humildade? Não, obrigado. Se você tinha motivos para contar vantagem (e mesmo se não tinha), devia aprimorar ao máximo sua capacidade de vangloriar-se! *Não* devia ser humilde! Essa era a cultura no tempo de Paulo.

Esse tipo de ideal supermasculino ainda domina boa parte da cultura popular dos filmes de Hollywood, repletos de salvadores da pátria violentos e super-heróis míticos. Infelizmente, essa ideia de virilidade também parece estar bastante presente nas ruas. Mansidão e humildade? De jeito nenhum! É pedir para ser pisoteado.

Filmes desse tipo exercem forte influência sobre nós. Tenho de confessar que, quando era jovem, às vezes lamentava ser cristão quando assistia a filmes com heróis poderosos e másculos! Como seria bom poder estalar os dedos, dizer coisas incisivas e agressivas, gritar ordens e fazer as pessoas correrem para obedecer! Ou simplesmente puxar uma arma, ou ser hábil em todas as técnicas de combate físico e apagar os vilões do mapa. Como cristão, porém, sabia que não podia fazer nada disso, ou, pelo menos, sabia que *não devia* fazer nada disso, mesmo que pudesse. Ser manso e humilde não parecia nada divertido!

De modo sutil e perigoso, a cultura e seus heróis moldam nossa forma de pensar e nossas atitudes. É uma pena que até mesmo alguns líderes cristãos caiam na tentação de ser a espécie de líderes "super-heróis" que a cultura popular imagina. Alguns pastores e presidentes de organizações cristãs se comportam de forma autocrática e exigem aquiescência imediata a suas instruções. Em sua personalidade, em suas palavras e ações não há vestígio da mansidão e humildade típicas de Cristo. Consequentemente, mesmo como líderes cristãos, tornam-se dessemelhantes a Cristo.

A Bíblia, porém, apresenta um ideal bem diferente, contracultural naquela época e ainda hoje. A lista de Paulo dos aspectos do fruto do Espírito abrangia termos que devem ter surpreendido seus contemporâneos. Aliás, foi somente pelo poder e pela influência do evangelho cristão (e pela presença do Espírito Santo, é claro) que a mansidão e a humildade vieram a ser percebidas e aceitas como virtudes (até mesmo na sociedade secular). Em última análise, esse fato se deve ao caráter de Cristo — exemplo de força extraordinária e verdadeira mansidão e humildade — que levou à gradativa transformação da norma cultural. Pelo poder do evangelho e pelo testemunho atraente de gerações de cristãos nos quais o fruto do Espírito foi visto, características que antes haviam sido consideradas vergonhosas, fracas e desprezadas passaram a ser tidas como algumas das virtudes mais importantes e mais semelhantes a Cristo: mansidão e humildade.

Como nos capítulos anteriores, começamos com Deus. E, mais uma vez, ainda que pareça surpreendente, precisamos começar com o Antigo Testamento.

2. A mansidão de Deus no Antigo Testamento

É provável que mansidão não seja a primeira coisa que lhe venha à mente para descrever Deus no Antigo Testamento. E, no entanto, salmistas e outros se referem recorrentemente a Deus por meio de termos associados a mansidão. É claro que falam de seu incrível poder, forte como a tempestade, com uma voz capaz de derreter montanhas. Todavia, também usam outras metáforas.

Davi compara Deus ao terno pastor que supre as necessidades de suas ovelhas, as conduz a águas calmas e a pastos verdes e as protege em lugares perigosos.

> Ele me faz repousar em verdes pastos
> e me leva para junto de riachos tranquilos.
> Renova minhas forças
> e me guia pelos caminhos da justiça;
> assim, ele honra o seu nome.
>
> Salmos 23.2-3

Isaías desenvolve a mesma imagem. Depois de descrever o poder absoluto de Deus, o profeta diz:

> Como pastor, ele alimentará seu rebanho;
> levará os cordeirinhos nos braços
> e os carregará junto ao coração;
> conduzirá ternamente as ovelhas com suas crias.
>
> Isaías 40.11

Deus é terno como o pai que sabe que seus filhos são fracos e vulneráveis:

> O SENHOR é como um pai para seus filhos,
> bondoso e compassivo para os que o temem.

Pois ele sabe como somos fracos;
lembra que não passamos de pó.

Salmos 103.13-14

Em Deuteronômio, Deus é retratado como um pai dedicado. Carrega seu povo como um pai carrega um filho para protegê-lo do perigo. É evidente que essa imagem paterna também abrange disciplina, mas ela é aplicada no contexto de terna provisão de todas as nossas necessidades.

> Também viram como o Senhor, seu Deus, cuidou de vocês ao longo do caminho, enquanto viajavam pelo deserto, *como um pai cuida de seu filho*. Agora ele os trouxe a este lugar.
>
> Deuteronômio 1.31

> Lembrem-se de como o Senhor, seu Deus, os guiou pelo deserto estes quarenta anos, humilhando-os e pondo à prova seu caráter, para ver se vocês obedeceriam ou não a seus mandamentos. Sim, ele os humilhou, permitindo que tivessem fome. Em seguida, ele os sustentou com maná, um alimento que nem vocês nem seus antepassados conheciam, a fim de lhes ensinar que as pessoas não vivem só de pão, mas de toda palavra que vem da boca do Senhor. Ao longo de todos estes quarenta anos, suas roupas não se gastaram e seus pés não incharam nem criaram bolhas. Pensem nisto: assim *como o pai disciplina o filho*, também o Senhor, seu Deus, disciplina vocês para o seu próprio bem.
>
> Deuteronômio 8.2-5

Também há relatos que mostram como Deus trata seu povo ternamente, algo fácil de esquecer quando só levamos em conta as narrativas de ira e julgamento.

Pense em Hagar. Ela fugiu de Abraão e Sara (Gn 16) porque Sara a estava maltratando. Enquanto vagava pelo deserto, grávida e diante da morte certa, quem a encontrou? Não foram os deuses do Egito, de onde Hagar tinha vindo e para onde provavelmente estava tentando voltar, mas sim o Deus de Abraão. E, depois de Deus a consolar e lhe fazer uma promessa a respeito do filho ao qual ela daria à luz, ela se tornou a primeira pessoa da Bíblia a dar um nome para Deus: "Tu és El-Roi", ela disse, "o Deus que me vê". *Que vê a mim, uma escrava e concubina estrangeira!* Deus tratou Hagar ternamente nessa ocasião e também quando ela foi expulsa da comunidade por Abraão com seu jovem filho Ismael. Da segunda vez (Gn 21.8-21), Deus salvou a vida de ambos ao prover água no deserto (algo que ele sabe fazer muito bem).

Pense em Elias. Gosto da delicadeza com que Deus tratou Elias quando o profeta estava se sentindo deprimido, tendo pensamentos de morte e fugindo das ameaças de Jezabel (1Rs 19). Quando Deus o encontrou no deserto, abrigado sob um pé de giesta e querendo morrer, foi como uma mãe para ele e proveu sono e alimento. E que alimento: pão fresco assado no céu e entregue por um anjo! A ternura de Deus nesse relato é impressionante (embora não ouçamos Elias sequer agradecer pelo alimento; apenas o comeu e voltou a dormir).

Em seguida, Deus o levou de volta ao monte Sinai e lhe ofereceu uma demonstração audiovisual magnífica com vento, terremoto e fogo. É significativo, porém, que "o SENHOR não estava no vento [...] o SENHOR não estava no terremoto [...] o SENHOR não estava no fogo". De que forma, então, Deus falou com Elias? Por meio de um "suave sussurro", ou como dizem algumas traduções, por meio de uma "voz *mansa* e delicada" (1Rs 19.12, RC). Deus tratou o profeta caído com *mansidão*. E então o restaurou e o enviou de volta em sua missão. Essa é a mansidão de Deus na prática. Vejo-a como uma prefiguração da forma como Jesus tratou Pedro, sobre a qual falaremos em seguida.

3. A mansidão de Jesus

Terno Jesus, manso e meigo
que um dia foi uma criancinha.

Alguns de nós (de certa idade) talvez nos lembremos desse antigo cântico infantil. Quando descrevemos Jesus dessa forma, porém, não significa que ele era um fracote, que nunca levantava a voz nem defendia ninguém. Pelo contrário, Jesus dizia a verdade com grande ousadia e confrontava pessoas energicamente. Os Evangelhos estão repletos de ilustrações desse fato. Sua maior força, no entanto, é observada em sua mansidão. Jesus não recorreu à agressividade ou à beligerância quando seus inimigos tentaram pegá-lo em armadilhas e nem mesmo quando o acusaram falsamente. Jesus não intimidou nem depreciou outros; ele dedicou tempo àqueles que o restante da sociedade intimidava, depreciava e rejeitava.

Uma das mais belas declarações de Jesus é: "Tomem sobre vocês o meu jugo. Deixem que eu lhes ensine, *pois sou manso e humilde de coração*, e encontrarão descanso para a alma" (Mt 11.29).

Quando Jesus fala de seu "jugo", contrasta sua conduta com a dos mestres da lei mosaica. "Tomar sobre si o jugo da lei" era uma expressão conhecida naquela época. Significava que os israelitas fiéis deviam curvar o pescoço e sujeitar-se à lei do Senhor, como faz o boi com o jugo que o lavrador coloca sobre ele. Sem dúvida, em certo sentido é correto e apropriado fazê-lo. Deus deu sua lei aos israelitas para que, ao lhe obedecerem e se sujeitarem a sua autoridade na aliança, experimentassem o que ele tinha de melhor para eles. A lei foi dada aos israelitas depois que Deus os redimiu a fim de que pudessem viver dentro do âmbito da bênção dessa redenção. Sua sociedade e cultura seriam repletas de integridade, justiça e compaixão. Portanto, sujeitar-se ao jugo da lei devia ser algo positivo, saudável e vivificador.

No tempo de Jesus, porém, os guardiões da sociedade israelita, os fariseus e escribas que estudavam, ensinavam e aplicavam a lei, haviam acrescentado tanta coisa aos preceitos de Deus que a lei se tornara um fardo cansativo. Em vez de libertar as pessoas para que desfrutassem seu relacionamento com Deus, havia se tornado um instrumento de conformidade opressora. Não tinha nada de "manso", e os líderes não eram, de modo algum, "humildes".

Por certo, Jesus não instruiu ninguém a *lançar fora* o jugo da lei, isto é, as Escrituras da Torá em si. Os profetas usaram a expressão "quebrar o jugo da lei" para descrever a natureza rebelde de Israel na era do Antigo Testamento (p. ex., Jr 2.20). Significava desobedecer a Deus e resistir a sua autoridade, duas coisas que Israel havia feito durante séculos. Jesus foi categórico: não tinha vindo para *abolir* a lei e os profetas, mas para *cumpri-los*. As pessoas precisavam ver *Jesus* como seu mestre, líder e modelo perfeito. Precisavam vê-lo como verdadeira personificação do objetivo da lei: um relacionamento amoroso, fiel, compassivo e obediente com Deus. E precisavam viver dessa forma a fim de tomar *seu* "jugo" sobre si e sujeitar-se a ele.

Ser discípulo de Jesus, seguir Jesus, significa tornar-se cada vez mais semelhante a ele, isto é, ser caracterizado por mansidão e humildade. E esse tipo de semelhança a Cristo, o fruto do Espírito de Jesus, é muito diferente da severidade e arrogância que podem facilmente contaminar a forma como algumas pessoas se comportam quando sua religião se torna farisaica e confrontadora.

Pense em alguns exemplos da mansidão de Jesus nos relatos dos Evangelhos. Eis alguns que me ocorrem, mas sem dúvida vários outros lhe virão à mente.

a) A mulher samaritana

Quando Jesus fala à mulher samaritana junto ao poço em João 4, demonstra mansidão impressionante, embora também seja objetivo e honesto. Quando lhe diz que ela já teve cinco maridos, costumamos entender essas palavras como uma repreensão, ou como indicação de que ela era uma mulher promíscua e desprezível. Embora ela concorde com a declaração, não significa necessariamente que sua situação foi resultado de infidelidade dela. Naquela cultura, o divórcio era prerrogativa do homem, de modo que ela pode muito bem ter sido vítima de exploração masculina, usada e jogada fora por cinco homens insensíveis, e agora vivia com outro homem sem estar casada. O texto não dá margem para afirmarmos com certeza que circunstâncias a levaram a cinco casamentos rompidos, mas quaisquer que fossem essas circunstâncias Jesus a conduz mansamente a reconhecer sua maior necessidade: a água viva do Messias de Deus e um relacionamento correto com Deus "em espírito e em verdade" por meio de Jesus. O simples fato de Jesus se dirigir a ela, e mais ainda, o tom manso e respeitoso da conversa, espantou os discípulos quando eles chegaram.

b) A mulher siro-fenícia

Ainda menos aceitável que uma mulher samaritana é a mulher siro-fenícia em Marcos 7.

> Então Jesus deixou a Galileia e se dirigiu para o norte, para a região de Tiro. Não queria que ninguém soubesse onde ele estava hospedado, mas não foi possível manter segredo. De imediato, uma mulher que tinha ouvido falar dele veio e caiu a seus pés. A filha dela estava possuída por um espírito impuro, e ela implorou que ele expulsasse o demônio que estava na menina.
>
> Sendo ela grega, nascida na região da Fenícia, na Síria [...]
>
> Marcos 7.24-26

Não sabemos de antemão o que exatamente levou Jesus a essa região gentílica, embora, no fim da história, possamos muito bem supor que tenha sido para que alguém como essa mulher pudesse ser conduzido pela fé à bênção do reino de Deus por meio de Jesus.

A princípio, a forma como Jesus responde a seu pedido para que ele venha e cure sua filha parece qualquer coisa, menos mansa: "Primeiro devem-se alimentar os filhos. Não é certo tirar comida das crianças e jogá-la aos cachorros" (v. 27).

Parte do problema, contudo, é que podemos apenas ler suas palavras, sem ouvir o tom de sua voz ou perceber seu olhar. Imagino (e não passa de conjectura) que Jesus tenha falado com um brilho bondoso nos olhos, que comunicou à mulher algo como: "Sabe que preciso dizer algo desse tipo, uma vez que sou judeu e você é gentia, mas você vai se contentar com essa resposta ou vai insistir?".

A mulher entende a indireta e responde com uma amostra brilhante de lógica proverbial: "'Senhor, é verdade', disse a mulher. 'No entanto, até os cachorros, debaixo da mesa, comem as migalhas dos pratos dos filhos'" (v. 28). Em outras palavras: "Mesmo que, como o senhor diz, os judeus que o acompanham me vejam como um cão gentílico, acaso os cães não comem os restos do alimento de boa qualidade servido à mesa para os filhos? Por que então eu, uma gentia, não posso me beneficiar daquilo que o senhor, o Messias, tem feito pelos judeus?".

Claro que sua perspicácia aguçada e impetuosa se encaixa perfeitamente com a ênfase teológica das Escrituras do Antigo Testamento (não que ela soubesse disso). Afinal, era exatamente o que Deus havia prometido. Ele havia criado Israel para que as demais nações fossem beneficiadas. Bênçãos para Israel implicavam bênçãos para as nações do mundo. Foi com esse exato propósito que Cristo veio. Sem conhecer as Escrituras de Israel, essa mulher tem intuição perfeita da intenção de Deus para Israel e, por meio de Israel, para os gentios.

A meu ver, portanto, as palavras aparentemente mordazes de Jesus à mulher fazem parte de um delicado incentivo que traz à luz sua fé. E, assim que Jesus reconhece essa fé, atende ao pedido. A mulher volta para casa e descobre que o demônio deixou sua filha, que, agora, está deitada tranquilamente na cama.

c) A prisão, o julgamento e a crucificação de Jesus

A mansidão de Jesus foi testada mais intensamente em sua prisão, seu julgamento e sua crucificação. Quando foi preso, poderia ter chamado milhares de anjos para protegê-lo, mas não o fez (Mt 26.53-54). Ao ser julgado diante do tribunal judaico e, depois, do tribunal romano, poderia ter respondido a todas as acusações com refutações indignadas, mas na maior parte do tempo permaneceu calado (Mt 26.63). Quando o estavam pregando na cruz, poderia ter lançado maldições sobre seus inimigos (como fizeram Jeremias, alguns salmistas e alguns mártires macabeus). Mas não o fez; suplicou a seu Pai que os perdoasse (Lc 23.34). E, em meio à agonia da cruz, pensou nas necessidades de sua mãe e a confiou aos cuidados de um de seus discípulos (Jo 19.26-27).

Não é de admirar que, mais adiante, Pedro tenha considerado toda a história do julgamento e da crucificação de Jesus uma demonstração de como o Servo do Senhor reagiu a seus algozes, citando Isaías 53:

> Mas, se sofrem por terem feito o bem e suportam com paciência, Deus se agrada de vocês. Porque Deus os chamou para fazerem o bem, mesmo que isso resulte em sofrimento, pois Cristo sofreu por vocês. Ele é seu exemplo; sigam seus passos.
>
> Ele nunca pecou,
> nem enganou ninguém.
> Não revidou quando foi insultado,
> nem ameaçou se vingar quando sofreu,
> mas deixou seu caso nas mãos de Deus,
> que sempre julga com justiça.
>
> 1Pedro 2.20-23

d) A restauração de Pedro

E, por fim, depois da ressurreição, pense na mansidão com que Jesus restaurou Pedro depois de seu fracasso estarrecedor. Pedro havia negado Jesus três vezes, o que deve ter causado tristeza, culpa e remorso insuportáveis. É bem provável que Pedro tenha concluído que seus dias como discípulo e líder de confiança de Jesus tivessem acabado e que não houvesse esperança de perdão ou restauração. Como poderia olhar para Jesus novamente? Como poderia olhar para os outros discípulos depois do que havia feito?

Será que essas perguntas e acusações pairavam no ar com a fumaça da fogueira naquele café da manhã à beira do lago em que o Jesus ressurreto assou peixe e pão para os discípulos famintos (Jo 21)? É quase certo que sim. E por que, dos evangelistas, somente João relata o que Jesus disse a Pedro naquela manhã? Tenho convicção de que João registra esse momento entre Jesus e Pedro porque João estava presente quando Pedro negou Jesus!

João é quem relata que Pedro só conseguiu acesso ao pátio onde Jesus foi julgado porque "outro discípulo" tinha amigos ali que o deixaram entrar. É quase certo que esse "outro discípulo" fosse o próprio João (Jo 18.15-16). Portanto, João deve ter ouvido as negações surpreendentes de Pedro de que fosse um dos seguidores de Jesus. João testemunhou quando seu amigo mais chegado, com quem havia compartilhado momentos muito próximos a Jesus durante três anos, gritou que nem sequer conhecia Jesus! E o fez três vezes! Possivelmente chegando a amaldiçoar Jesus![1] Como João poderia voltar a confiar em Pedro? Como Pedro poderia pregar ou ensinar a respeito de Jesus (na presença de João) depois disso?

Cabe a João, portanto, relatar que *três vezes* depois da refeição na praia do lago, Jesus ressurreto perguntou a Pedro: "Você me ama?" (Jo 21.15-17). Foi um momento difícil, pois as três perguntas obviamente trouxeram à memória as três

[1] O texto diz apenas que Pedro invocou maldições. A maioria das traduções acrescenta "sobre si mesmo". É bem possível, contudo, que Pedro tenha chegado a dizer: "Não conheço esse Jesus de Nazaré; maldito seja ele!".

negações. Foi uma interação excruciantemente difícil, mas também foi marcada por mansidão.

Jesus não repreendeu Pedro, nem o humilhou na presença dos outros discípulos. Aliás, ao que parece, Jesus não fez essas perguntas publicamente. João registra que, depois de Jesus ter feito as perguntas e Pedro ter respondido, Pedro se voltou para trás e viu João os seguindo e, supostamente, os ouvindo. Em outras palavras, provavelmente a conversa aconteceu enquanto caminhavam, e não enquanto estavam sentados ao redor do fogo com todos os outros. Ao que parece, foi depois de terminar a refeição, quando Jesus e Pedro saíram para caminhar juntos de modo a ter mais privacidade. João, seguindo logo atrás, ouve a conversa. Ele ouve Pedro dizer três vezes com arrependimento angustiado, mas sinceridade fervorosa, que verdadeiramente ama Jesus. Era tudo que Jesus precisava saber, e era tudo que João precisava ouvir. É provável que seja por isso que somente João registra esse episódio.

Graças à mansidão de Jesus, Pedro, o fracassado, se tornou Pedro, o perdoado. E, a julgar pelo Pedro que vemos em Atos no dia de Pentecostes e mais adiante, a mansa restauração realizada por Jesus foi eficaz. Depois disso, certamente Pedro se tornou um homem manso e humilde.

4. A mansidão como modo de vida cristão

Diante de todos esses ensinamentos e exemplos de Jesus, não é de surpreender que Paulo tenha transformado a mansidão e a humildade, qualidades desprezadas na cultura ao seu redor, em sinais claros da obra do Espírito de Jesus em nossa vida. De acordo com o apóstolo, as mesmas coisas das quais o mundo *zombava* são qualidades que nos tornam *mais semelhantes a Cristo.*

O próprio Paulo deu exemplo dessas qualidades. Falou com severidade à igreja em Corinto, mas começou da seguinte forma: "Agora eu, Paulo, apelo a vocês com a mansidão e a bondade de Cristo..." (2Co 10.1). Ao lermos o restante do capítulo, talvez nos perguntemos: "Se esse é Paulo sendo manso, imagine como era quando estava furioso!". Ainda assim, fica evidente que o apóstolo não usava intimidação para liderar a igreja. Desejava relacionamentos curados e restauração espiritual e considerava a mansidão a chave para alcançar esse objetivo, a começar por sua própria mansidão como exemplo.

Paulo instrui seus leitores a seguir seu exemplo ao depararem com falhas na vida de outros cristãos: "Irmãos, se alguém for vencido por algum pecado, vocês que são guiados pelo Espírito devem, *com mansidão,* ajudá-lo a voltar ao caminho certo" (Gl 6.1).

Se ao menos essa fosse a prática habitual em nossas igrejas! Infelizmente, quando alguém cai em algum aspecto, existe maior probabilidade de ser julgado e rejeitado do que ser mansamente restaurado. A disciplina eclesiástica apropriada tem seu lugar (embora, na prática, seja uma área extremamente difícil em qualquer igreja). Mas, qualquer que seja a forma dessa disciplina, Paulo diz que deve ser aplicada com mansidão. Aqueles que são cheios do Espírito (ou afirmam ser) devem, a exemplo de Jesus, mostrar o fruto do Espírito, que inclui mansidão ao tratar de quem cai ou erra.

Paulo transforma essa instrução em uma ordem específica para a liderança da igreja, onde é encarecidamente necessária: "O servo do Senhor não deve viver brigando, mas ser amável com todos, apto a ensinar e paciente. Instrua *com mansidão* aqueles que se opõem, na esperança de que Deus os leve ao arrependimento e, assim, conheçam a verdade" (2Tm 2.24-25).

Quão diferente é essa ordem do comportamento de alguns líderes cristãos? E quanto àqueles que escrevem comentários em *blogs* e redes sociais? Muitas vezes, são briguentos, indelicados e rancorosos. E, no entanto, a menos que pastores e líderes deem o exemplo de mansidão, como podemos esperar que o restante do povo de Deus pratique essa virtude?

Paulo foi ainda mais longe e transformou a mansidão em princípio geral que deve governar todos os nossos relacionamentos, e não apenas dos líderes. Eis o que Paulo instruiu Tito a ensinar para os membros de sua igreja: "Lembre a todos que [...] não devem caluniar ninguém, mas evitar brigas. Que *sejam amáveis e mostrem a todos verdadeira humildade*" (Tt 3.1-2).

Infelizmente, muitos de nós (incluindo alguns líderes cristãos de destaque) precisamos ser fortemente lembrados desse versículo. Quando você pensa nos líderes de igreja de maior projeção, mais comentados nas redes sociais, mais badalados, publicados e seguidos em seu país ou sua cultura, a *mansidão* está entre as características mais observáveis que lhe vêm à mente?

Pedro, que provavelmente se lembrava com frequência de como Jesus o havia tratado com mansidão, diz que ela deve ser uma característica importante de nosso modo de falar com aqueles que ainda não são cristãos, talvez especialmente quando interagimos com pessoas de outras fés: "E, se alguém lhes perguntar a respeito de sua esperança, estejam sempre preparados para explicá-la. *Façam-no, porém, de modo amável e respeitoso*" (1Pe 3.15-16).

Mais uma vez, precisamos perguntar: é desse modo que os cristãos interagem com outros ao evangelizá-los? E quando você pensa em como os cristãos em sua cultura reagem a críticas, questionamentos, perseguição ou zombaria, "de modo amável e respeitoso" descreve bem como falam e se comportam?

De onde vem esse tipo de mansidão?

Podemos dizer que é fruto do Espírito. Sem dúvida. É o caráter de Jesus habitando em nós. Em termos práticos diários, porém, creio que a raiz mais profunda desse tipo de mansidão é a verdadeira humildade. E, quando falo de humildade, refiro-me à forte consciência de que sou apenas humano, falho e sujeito a tentações, como todos os outros. Não tenho motivo algum para me sentir superior e tornar-me agressivo quando outras pessoas mostram seus defeitos, não se conheço meu coração.

Portanto, quando alguém comete um erro, derruba algo, perde as chaves, se esquece de uma promessa ou bagunça alguma coisa (o que acontece com todos nós em algum momento da vida), procuro não perder a calma nem me irritar com a pessoa, nem gritar palavras indignadas de acusação e culpa. Controlo essa reação instintiva, pois me recordo (muitas vezes, em cima da hora) de que *eu mesmo* poderia, facilmente, ter cometido o mesmo erro. E se fosse eu, como gostaria que outros reagissem a minha insensatez, fraqueza ou erro?

A humildade ocorre mais facilmente quando nos conhecemos de fato, quando sabemos que, do lado de dentro de nosso invólucro, somos fracos e falhos. Então, dessa fonte profunda de autoconhecimento e de gratidão pela graça do Deus que me salvou de meu pecado e fracasso, nasce *humildade diante de Deus* e *mansidão para com outros*.

Se Deus foi manso e repleto de graça para comigo e se desejo ser tratado com mansidão quando cometo erros, devo orar para agir desse modo com outros. Como pecador perdoado, devo acolher outros na comunhão dos perdoados. Devo permitir que o fruto do Espírito amadureça em minha vida e em meus relacionamentos.

PERGUNTA

1. Que outros exemplos práticos da mansidão de Jesus você poderia acrescentar aos que foram descritos neste capítulo?
2. O que nos leva, muitas vezes, a *não* tratar uns aos outros com mansidão? Em que ocasiões você tem maior dificuldade de tratar outros com mansidão? Por quê?
3. Se um dos motivos é o fato de que muitas culturas esperam que indivíduos em cargos de autoridade e liderança sejam fortes e assertivos (e não humildes e mansos), como os líderes cristãos podem aprender a exercer liderança com humildade e mansidão? Se é uma questão problemática para você, como você deve orar e pregar a esse respeito?
4. A mansidão de Deus é descrita por meio das metáforas do pastor e do pai amoroso. De que maneira essas imagens nos ajudam a entender o que significa exercer mansidão em nossa vida de modo a refletir a mansidão de Deus?

9
Domínio próprio

Chegamos ao último item da lista de Paulo dos aspectos do fruto do Espírito: domínio próprio. Essa expressão nos remete de modo claro à lista assustadora de obras da carne apresentada logo antes do fruto do Espírito.

> Quando seguem os desejos da natureza humana, os resultados são extremamente claros: imoralidade sexual, impureza, sensualidade, idolatria, feitiçaria, hostilidade, discórdias, ciúmes, acessos de raiva, ambições egoístas, dissensões, divisões, inveja, bebedeiras, festanças desregradas e outros pecados semelhantes. Repito o que disse antes: quem pratica essas coisas não herdará o reino de Deus.
>
> Gálatas 5.19-21

Muitos dos comportamentos que Paulo apresenta nessa lista mostram a natureza humana *fora de controle*, em seu pior estado de excessos. Esse tipo de vida descontrolada permite que o indivíduo se entregue à complacência, à gratificação sexual, ao orgulho, à gula, e assim por diante. O domínio próprio é o oposto dos comportamentos pecaminosos dessa espécie.

Provavelmente por esse motivo, o domínio próprio é o único fruto do Espírito para o qual não há uma qualidade correspondente em Deus. Afinal, Deus não precisa exercer domínio próprio em relação a tendências pecaminosas interiores. Deus não precisa refrear desejos perversos. "Deus é luz, e nele não há escuridão alguma" (1Jo 1.5). Deus não é tentado de maneira alguma pelo mal. Nesse sentido (domínio próprio sobre desejos perversos), portanto, não se trata de uma qualidade de Deus.

Em cada capítulo até aqui, observamos os outros itens da lista paulina dos aspectos do fruto do Espírito e vimos como cada um reflete algo a respeito de Deus. Não é difícil pensar no ensino bíblico sobre o amor divino, a alegria do Senhor, a paz de Deus, bem como sua paciência, amabilidade, bondade, fidelidade e mansidão. Quando chegamos ao último item, porém, temos de reconhecer que domínio próprio é algo de que *nós* precisamos, e não algo que *Deus* tem de exercitar.

Por que, então, aparece na lista de aspectos do fruto do Espírito? Sem dúvida, porque é uma das obras do Espírito Santo dentro de nós que nos capacita e nos dá poder para controlar nossos desejos pecaminosos. Isso não significa que alcançaremos perfeição durante esta vida ou que jamais cairemos ou falharemos. Significa, porém, que lembraremos, como Paulo nos ensinou, que nosso corpo é templo do Espírito Santo. Logo, devemos pedir ao Espírito Santo habitando em nós que nos controle de modo que aprendamos a exercer autocontrole. Na Conclusão, veremos como Paulo explica melhor o que ele quer dizer quando fala de seguirmos "a direção do Espírito" (Gl 5.25).

Nos versículos iniciais de 2Pedro, encontramos uma relação semelhante à lista paulina dos aspectos do fruto do Espírito. Nessa relação, o domínio próprio é uma das qualidades que devemos procurar acrescentar a nossa fé, em resposta ao poder e às promessas de Deus, à medida que crescemos em maturidade e eficácia em nosso relacionamento com Cristo.

> Diante de tudo isso, esforcem-se ao máximo para corresponder a essas promessas. Acrescentem à fé a excelência moral; à excelência

moral o conhecimento; ao conhecimento o *domínio próprio*;[1] ao domínio próprio a perseverança; à perseverança a devoção a Deus; à devoção a Deus a fraternidade; e à fraternidade o amor.

Quanto mais crescerem nessas coisas, mais produtivos e úteis serão no conhecimento completo de nosso Senhor Jesus Cristo. Mas aqueles que não se desenvolvem desse modo são praticamente cegos, vendo apenas o que está perto, e se esquecem de que foram purificados de seus antigos pecados.

2Pedro 1.5-9

Anteriormente, vimos que Aristóteles não tinha muitos comentários positivos a fazer sobre a virtude da mansidão, e que a humildade, intimamente associada a ela, não era considerada uma virtude no mundo greco-romano antigo. Contudo, em seus escritos extensos a respeito de virtudes e ética, Aristóteles elogiou o domínio próprio (usando o mesmo termo que Paulo emprega em Gl 5.23). Para o filósofo, domínio próprio era a capacidade de ter paixões intensas, mas de mantê-las sob controle. A pessoa virtuosa pode ter pensamentos e sentimentos fervorosos a respeito das coisas e ter verdadeiras paixões. A virtude, porém, consiste em mantê-los sob controle de modo que toda a energia das paixões sirva a fins nobres e não leve a resultados egoístas ou destrutivos.

Aristóteles provavelmente teria concordado com a mensagem de uma campanha publicitária que vi certa vez à beira de uma estrada em Uganda. Era um anúncio de pneus que ocupava diversos *outdoors* imensos. Havia uma figura impressionante (e um tanto ameaçadora) de um grande punho negro voltado para o rosto do observador, com as juntas dos dedos

[1] Esse é o mesmo termo grego que Paulo usa no fim de sua lista do fruto do Espírito.

viradas para baixo. A imagem toda saltava do fundo de modo quase tridimensional. Na parte inferior, porém, as juntas dos dedos se transformavam em quatro pneus negros enormes e com sulcos profundos, do tipo usado em caminhões gigantes. A mensagem dizia: "Poder sem controle não é nada". É possível ter imenso poder e energia produzidos pelo motor de um caminhão. A menos que sejam mantidos sob controle, porém, "quando a borracha encontra o asfalto", a situação pode se tornar perigosa. A fim de que o poder seja seguro, precisa ser controlado.

E Paulo teria concordado com Aristóteles. Temos motivações e paixões intensas que precisam ser mantidas sob controle. Mas, uma vez que algumas de nossas paixões fazem parte de nossa natureza decaída e pecaminosa, como podem ser controladas? Não temos condições de fazê-lo com nossas próprias forças. Podemos tentar exercer domínio próprio da mesma forma que Aristóteles recomendou que o cultivássemos como virtude. No entanto, Aristóteles não levou em conta a natureza pecaminosa.

O pecado tem poder próprio que age em oposição a nossas melhores intenções, foge rapidamente de nosso controle e nos arrasta consigo. Paulo, em contrapartida, conhecia muito bem o poder do pecado e da carne e sabia que o único poder capaz de controlá-los era o Espírito Santo. Por isso, acrescenta esse aspecto final do fruto do Espírito. Parte da obra do Espírito Santo dentro de nós consiste em como ele nos capacita para que refreemos os desejos e impulsos pecaminosos que ainda estão à espreita dentro de nós. Domínio próprio inclui esforço da volição, mas é um esforço inspirado e fortalecido pelo Espírito de Deus, à medida que sua vontade dá fruto em nossa vontade.

É provável que, acima de tudo (mas, por certo, não somente), Paulo tenha em mira a necessidade de controlarmos nossos desejos sexuais. Sua relação de obras da carne começa com imoralidade sexual, e em várias outras passagens Paulo a inclui em suas listas de comportamentos pecaminosos dos quais os cristãos devem se abster inteiramente (p. ex., 1Co 5.9-11; Ef 5.3-7; Cl 3.5-10).

Se pudéssemos pedir a Paulo que nos fornecesse exemplos das Escrituras, creio que ele mencionaria José. No Egito, Potifar, o senhor de José, lhe confiou a administração de todos os seus negócios. Embora tecnicamente José fosse escravo, alcançou proeminência e sucesso. Chegou ao ponto em que muitos homens em cargos semelhantes sentem-se à vontade para tomar certas liberdades sexuais como recompensa merecida. E essa tentação surgiu diante dele não com uma moça escrava, mas com a esposa de Potifar.

> José era um rapaz muito bonito, de bela aparência, e logo a esposa de Potifar começou a olhar para ele com desejo. "Venha e deite-se comigo", ordenou ela.
>
> José recusou e disse: "Meu senhor me confiou todos os bens de sua casa e não precisa se preocupar com nada. Ninguém aqui tem mais autoridade que eu. Ele não me negou coisa alguma, exceto a senhora, pois é mulher dele. Como poderia eu cometer tamanha maldade? Estaria pecando contra Deus!".
>
> A mulher continuava a assediar José diariamente, mas ele se recusava a deitar-se com ela. Certo dia, porém, quando José entrou para fazer seu trabalho, não havia mais ninguém na casa. Ela se aproximou, agarrou-o pelo manto e exigiu: "Venha, deite-se comigo!". José se desvencilhou e fugiu da casa, mas o manto ficou na mão da mulher.
>
> Gênesis 39.6-12

Nesse breve relato, vemos não apenas o domínio próprio de José, mas também os fortes motivos que ele dá para exercê-lo. Primeiro, ele não está disposto a trair a confiança de seu senhor (ele também poderia ser exemplo de fidelidade por essa razão). Mais que isso, não está disposto a pecar contra Deus. O autor de Gênesis nos diz em várias ocasiões que Deus esteve com José em todos os altos e baixos de sua vida. Podemos até propor, então, que o fruto do Espírito está sendo exemplificado por José nesse ponto, pois seu domínio próprio não é resultado apenas de sua força, mas da consciência da presença de Deus em sua vida.

Como exemplo contrário, podemos pensar na história muito mais longa e triste de Davi. Sua falta de domínio próprio depois de ver Bate-Seba tomando banho o levou não somente a cometer adultério, mas a afundar em falsidade e homicídio planejado. E, embora Davi tenha se arrependido e recebido o perdão de Deus, sua falta de domínio próprio representou perda de controle moral sobre a família, especialmente sobre dois de seus filhos, Amnom e Absalão, que amplificaram os pecados sexuais de seu pai, resultando na destruição de ambos (a história completa se encontra em 2Sm 11—17).

A tentação da atividade sexual fora do contexto provido por Deus para o sexo (o casamento) continua a ser forte e é um inimigo poderoso de todos nós em nossos dias. Precisamos reconhecer quanto esse inimigo é perigoso, quer na prática em si quer no universo de nossos pensamentos e imaginação, por meio de pornografia e outras fontes. Claro que a tentação sexual tem como alvo homens e mulheres, mas não há dúvida que é especialmente intensa para os homens (e, como homem, tenho permissão de dizer isso, pois sei que é verdade).

O sofrimento humano causado por lascívia masculina desenfreada e anarquia sexual é inimaginavelmente imenso. Incontáveis mulheres, meninas e meninos do mundo inteiro sofrem nas mãos de estupradores, cafetões, traficantes de sexo, pedófilos, abusadores, adúlteros e maridos violentos. Essas coisas também existiam no tempo de Paulo, embora talvez não na escala que vemos hoje no mundo moderno. O apóstolo, portanto, assume um posicionamento firmemente contracultural ao dizer aos cristãos que jamais devem associar-se a essas práticas. E a única maneira de manter-se afastado delas é pelo exercício de domínio próprio com poder do Espírito.

Aqueles de nós que ocupam algum tipo de cargo de liderança cristã — pastores, missionários, líderes de jovens ou professores de teologia — precisam dar ouvidos ao ensino de Paulo mais do que a maioria. De algum modo, com frequência desanimadora, o maligno consegue seduzir justamente essas pessoas a cometer pecado sexual que, por vezes, resulta na destruição do ministério que Deus lhes confiou. Claro que há graça e perdão sempre que há verdadeiro arrependimento. Conhecemos o poder purificador do sangue de Cristo e a extraordinária verdade redentora e restauradora do evangelho. No âmbito humano, contudo, os estragos podem ser irreversíveis, e os danos feitos ao nome de Cristo no mundo entristecem a Deus e envergonham a igreja. Infelizmente, muitas vezes os piores escândalos começam com uma falta momentânea de domínio próprio. Ou com a falta de exercício de domínio próprio ao longo do tempo sobre os olhos e a imaginação, até que o ato desejado, porém impensável, se torna disponível e real.

No entanto, talvez tenhamos chegado a um ponto de nossa vida em que nos consideramos praticamente imunes a esse tipo específico de tentação (imoralidade sexual). Talvez seja improvável que nossas circunstâncias de vida e ministério nos tentem ou criem a oportunidade de cair em pecado sexual. Além da advertência "se vocês pensam que estão de pé, cuidem para que não caiam" (1Co 10.12), a lista de Paulo nos lembra que nossa natureza humana decaída, a "carne", tem muitos outros desejos, tendências, vícios, armadilhas e tentações nas quais podemos cair caso não exerçamos domínio próprio com a ajuda do Espírito. Observe novamente a lista no início deste capítulo.

Paulo começa com *imoralidade sexual* e termina com *festanças desregradas*. Talvez você nem faça ideia de onde encontrar uma "festança desregrada", e muito menos tenha energia para participar dela. Mas será que está no controle de seu *temperamento*? Paulo inclui *acessos de raiva* em sua lista. Conheço alguns líderes cristãos em cargos elevados famosos por perder toda a calma com outros, gritar com os membros de sua equipe e coisas do gênero. Onde está o domínio próprio nessas horas?

E quanto a seu *apetite*? Está controlado? Todos nós podemos desfrutar os bons alimentos que Deus provê como bênção a ser recebida com gratidão. No entanto, *embriaguez* e *glutonaria* são pecados que a Bíblia condena.

Você está no controle de sua *atitude* em relação a outros? Quando outros têm sucesso ou obtém aquilo que você deseja para si, é capaz de refrear o impulso de sentir *ciúmes* e *inveja* e de ter *ambições egoístas*?

Está no controle do seu *tempo* (na medida do possível), ou desperdiça-o por preguiça e falta de autodisciplina?

E talvez o mais difícil de tudo seja exercer domínio próprio quanto à *língua*. Paulo não relaciona essa questão de modo específico aqui (embora faça parte de *discórdias* e *dissensões*), mas sem dúvida concordaria com a ênfase que Tiago põe sobre os estragos que a língua pode causar e a necessidade de controlá-la rigorosamente.

> Por exemplo, se colocamos um freio na boca do cavalo, podemos conduzi-lo para onde quisermos. Observem também que um pequeno leme faz um grande navio se voltar para onde o piloto deseja, mesmo com ventos fortes. Assim também, a língua é algo pequeno que profere discursos grandiosos.
>
> Vejam como uma simples fagulha é capaz de incendiar uma grande floresta. E, entre todas as partes do corpo, a língua é uma chama de fogo. É um mundo de maldade que corrompe todo o corpo. Ateia fogo a uma vida inteira, pois o próprio inferno a acende.
>
> O ser humano consegue domar toda espécie de animal, ave, réptil e peixe, mas ninguém consegue domar a língua. Ela é incontrolável e perversa, cheia de veneno mortífero. Às vezes louva nosso Senhor e Pai e, às vezes, amaldiçoa aqueles que Deus criou à sua imagem. E, assim, bênção e maldição saem da mesma boca. Meus irmãos, isso não está certo!
>
> Tiago 3.3-10

Tiago diz: "Isso não está certo!". Infelizmente, porém, muitas vezes é o que acontece. A falta de domínio próprio no uso da língua é causa importante de estragos na comunhão cristã. E isso se aplica não apenas ao que dizemos com a boca, mas ao que escrevemos em *e-mails, blogs* e comentários em redes sociais. A linguagem que alguns cristãos usam uns com outros é, por vezes, simplesmente vergonhosa. A evidência do fruto do Espírito no exercício do domínio próprio é extremamente necessária no âmbito da comunicação cristã.

Uma vez que falar e escrever fazem parte das atividades exercidas por líderes cristãos, não é de surpreender que Paulo enfatize o domínio próprio como critério essencial para os líderes cristãos que ele chama presbíteros e bispos.

> O bispo administra a casa de Deus e, portanto, deve ter uma vida irrepreensível. Não deve ser arrogante nem briguento, não deve beber vinho em excesso, nem ser violento, nem buscar lucro desonesto.
>
> Em vez disso, deve ser hospitaleiro e amar o bem. Deve viver sabiamente, ser justo e ter uma vida de devoção e disciplina.
>
> Tito 1.7-8

Afinal, se alguém não é capaz de controlar a si mesmo e suas palavras e ações, como poderá exercer qualquer tipo de "controle" apropriado e piedoso na igreja?

E, caso alguns dos mais velhos entre nós imaginem que são especialmente os jovens que precisam praticar o domínio próprio, veja Tito 2.2-8 e observe quantas vezes, e para quais grupos, Paulo fala da ideia de dominar a si próprio.[2]

> Os homens mais velhos devem exercitar o *autocontrole*, a fim de que sejam dignos de respeito e vivam com sabedoria. Devem ter uma fé sólida e ser cheios de amor e paciência.
>
> Semelhantemente, as mulheres mais velhas devem viver de modo digno. Não devem ser caluniadoras, nem beber vinho em excesso; antes, devem ensinar o que é bom. Devem instruir as mulheres mais jovens a amar o marido e os filhos, a viver com *sabedoria* e pureza, a trabalhar no lar, a fazer o bem e a ser

[2] O termo grego que Paulo usa em Tito, traduzido por "autocontrole", é diferente daquele que aparece no final da lista do fruto do Espírito, mas tem significado bastante parecido.

> submissas ao marido. Assim, não envergonharão a palavra de Deus.
>
> Da mesma forma, incentive os homens mais jovens a viver com *sabedoria*. Você mesmo deve ser exemplo da prática de boas obras. Tudo que fizer deve refletir a integridade e a seriedade de seu ensino. Sua mensagem deve ser tão correta a ponto de ninguém a criticar. Então os que se opõem a nós ficarão envergonhados e nada terão de ruim para dizer a nosso respeito.
>
> Tito 2.2-8

Paulo não considera o domínio próprio algo especialmente necessário para os jovens. Diz com sabedoria que é algo a ser ensinado e praticado por pessoas de *todas as idades*, jovens e idosos, e por *ambos os gêneros*, homens e mulheres. É algo para a igreja toda, assim como o restante do fruto do Espírito.

Portanto, Paulo volta ao início de seu retrato do fruto do Espírito. Começou com amor, uma qualidade que direciona nossos pensamentos e nossas ações para fora, para outros. E termina com domínio próprio, uma qualidade que direciona nossos pensamentos e nossas ações para dentro, para nós mesmos, com vistas ao nosso bem e ao de outros. É provável ainda que, para Paulo, a menos que exercitemos essa prática um tanto negativa e, todavia, necessária de domínio próprio e vivamos de modo disciplinado (um modo de vida disciplinado pelo Espírito *Santo*), dificilmente produziremos o restante do fruto do Espírito.

PERGUNTAS

1. Que formas típicas de falta de domínio próprio são evidentes em sua cultura? Como os cristãos também são tentados nesses aspectos?

2. Em que áreas de sua vida você sente necessidade de mais domínio próprio? Que passos você dará, espiritualmente e na prática, para cultivar essa parte do fruto do Espírito?
3. Se você é pastor, pense em maneiras concretas de pregar, ensinar, exemplificar e praticar o que Paulo instrui Tito a fazer na passagem acima (Tt 2.2-8).

Conclusão

Chegamos ao fim de nosso estudo sobre as qualidades maravilhosas descritas por Paulo como fruto do Espírito. Na Introdução, recordamo-nos de que o anseio de Deus para todo cristão é que se torne cada vez mais semelhante a Jesus. E uma das principais maneiras de nos movermos em direção a essa semelhança a Cristo é cultivar o fruto do Espírito.

Vimos que John Stott orava todos os dias para que Deus fizesse o fruto do Espírito amadurecer em sua vida. E, à medida que Deus respondeu a essa oração, a vida e o caráter de John Stott exemplificaram a semelhança de Cristo entre aqueles que o conheciam sem que Stott tivesse consciência desse fato. Sua grande ambição, que deu forma à visão contínua da organização Langham Parnership, fundada por ele, era que cristãos e igrejas ao redor do mundo fossem transformados ao crescer em maturidade e semelhança a Cristo para terem mais eficácia em sua missão no mundo.

John Stott ressaltou que a maturidade espiritual e a semelhança a Cristo não são apenas fruto do Espírito, mas também fruto da Palavra de Deus, à medida que lança raízes profundas em nossa vida. De fato, uma vez que o Espírito Santo inspirou as Escrituras, é bastante natural que ele as use para dar vida e maturidade ao fruto que deseja ver em nós.

Portanto, a mensagem de conclusão deste livro precisa ser: voltemos à Bíblia no estudo diário e na pregação fiel, caso esse seja o chamado que recebemos de Deus. É o que precisamos fazer neste exato momento, ao encerramos o presente texto. Não devemos isolar do restante do contexto os dois versículos em que Paulo relaciona o fruto do Espírito.

Na Introdução, exploramos os antecedentes e o contexto da carta de Paulo aos cristãos na Galácia. Agora, na Conclusão, precisamos voltar a nosso texto e observar três coisas que Paulo diz imediatamente depois de sua lista do fruto do Espírito. Eis os versículos-chaves:

> Mas o Espírito produz este fruto: amor, alegria, paz, paciência, amabilidade, bondade, fidelidade, mansidão e domínio próprio. Não há lei contra essas coisas!
>
> Aqueles que pertencem a Cristo Jesus crucificaram as paixões e os desejos de sua natureza humana. Uma vez que vivemos pelo Espírito, sigamos a direção do Espírito em todas as áreas de nossa vida.
>
> Gálatas 5.22-25

1. "Não há lei contra essas coisas!" (v. 23)

A declaração que Paulo faz no final da lista parece estranha. Talvez tenhamos vontade de exclamar: "Claro que não! Ninguém cria leis contra a amabilidade! Não há leis que proíbam amor, alegria e paz!". Afinal de contas, o que Paulo quer dizer aqui? Está apenas afirmando o óbvio, algo de que ninguém discorda?

É bem provável que Paulo esteja citando um provérbio que remonta a Aristóteles (como mencionamos algumas vezes, ele discorreu extensamente a respeito de ética e virtudes). Em certa passagem, depois que Aristóteles tratou de uma lista de qualidades diversas de um homem virtuoso, escreveu as mesmas palavras que Paulo usa aqui (motivo pelo qual estudiosos acreditam que Paulo o esteja citando intencionalmente, como um provérbio). Muitos comentaristas acreditam que a tradução mais apropriado para o termo "contra" (do grego *kata*) talvez seja "a respeito de" ou "em relação a".

Em outras palavras, Paulo (e Aristóteles) queria dizer algo como: "Em relação a essas coisas, não há lei".[1] Em outras palavras, essas qualidades são virtudes de caráter. Não é possível obrigar, mediante lei, as pessoas a se comportarem assim. Elas agirão desse modo em virtude de quem são, não porque alguma lei as compele. A lei não é relevante aqui.

Portanto, na discussão complexa da lei (mosaica) e do Espírito, Paulo declara, com efeito: "Eis algumas qualidades características que o Espírito Santo produzirá como fruto em sua vida ao habitar dentro de você. Essas coisas não são semelhantes a uma legislação. Esse tipo de vida não é, de modo algum, uma questão de lei. Esse tipo de caráter semelhante ao de Cristo não é resultante de sujeição à *lei*, mas de sujeição a *Cristo* pela fé e da vivência debaixo do poder e da direção do *Espírito*".

Como dissemos desde o início, o fruto do Espírito é uma questão de *caráter*. O tipo de atitude e de comportamento que Paulo relaciona não é decorrente das regras que observamos, mas da *pessoa que somos*. Mais especificamente, esse modo de vida flui da *pessoa que estamos nos tornando*, ao crescermos em semelhança a Cristo. Ou, mais especificamente ainda, esse comportamento flui da *Pessoa que habita dentro de nós*, à medida que Cristo é formado em nós (lembre-se de Gl 4.19) e que o Espírito de Cristo produz seu fruto em nossa vida.

[1] A New English Bible traduz por "Não há lei alguma que trate de coisas como essas".

O fato de que se trata de uma questão de caráter, e não de observar uma lista de regras, é o motivo pelo qual o termo "fruto" é usado no singular. Paulo relaciona nove itens. Todos eles, porém, se unem como um só fruto. Talvez devamos pensar neles como gomos de uma laranja, e não como uvas em um cacho. As nove qualidades não são um cardápio do qual podemos escolher alguns itens e desconsiderar outros. Não são como uma lacuna que marcamos com um xis para indicar que fomos aprovados em alguns itens, mas não em outros, como se fosse possível dizer: "Pois bem, reconheço que perco a calma de vez em quando, mas tenho um bocado de alegria!" ou "É verdade que sou ríspido e severo com as pessoas ocasionalmente, mas sou bastante confiável".

Não, o fruto do Espírito é um só pacote de caráter. O fruto do Espírito não é como os dons do Espírito, distribuídos entre o povo de Deus, alguns para estas pessoas, outros para aquelas, todos dentro do corpo de Cristo (1Co 12.4-11). O fruto do Espírito se desenvolve de modo conjunto dentro da vida do cristão, com unidade, inteireza e equilíbrio. Todas as partes do fruto trabalham coordenadamente e fortalecem umas às outras.

Por fim, para completar sua bela declaração a respeito do fruto do Espírito, e como conclusão para toda a argumentação no capítulo 5, Paulo fornece uma instrução *negativa* no versículo 24 e uma *positiva* no versículo 25.

2. Devemos dizer NÃO para a carne (v. 24)

"Aqueles que pertencem a Cristo Jesus crucificaram as paixões e os desejos de sua natureza humana." Essa declaração usa linguagem forte. Também é categórica. Paulo escreve no pretérito perfeito, "crucificaram". Não é uma instrução, mas sim a declaração de uma realidade. Paulo está dizendo: "Foi esse o compromisso que vocês assumiram quando entregaram a vida a Jesus. Vocês morreram! Ou melhor, crucificaram a natureza pecaminosa, a carne".

Claro que Paulo não quer dizer que não temos mais nenhum desejo pecaminoso ou que não pecamos mais. Esse tipo de perfeição impecável não é o que o Novo Testamento ensina a respeito de nossa vida presente. Somos pecadores salvos pela graça, mas ainda vivemos neste mundo, cercados de tentações. Por vezes, caímos e falhamos, mas também aprendemos e crescemos de modo contínuo. Só seremos inteiramente libertos do pecado e da tentação quando vivermos com Cristo na nova criação.

Não obstante, há um ato de volição e de escolha que somos chamados a realizar a cada dia. O fato passado decisivo, "crucificaram as paixões e os desejos de sua natureza humana", precisa ser traduzido em intenção presente diária. Por certo, devemos acrescentar de imediato que também é uma questão de graça e gratidão. Não tem relação alguma com legalismo ou com obtenção do favor de Deus por meio de nosso bom comportamento. Esse tipo de raciocínio é inteiramente contrário a tudo o que Paulo nos ensina.

Sim, tudo é uma questão de graça. Mas, como o apóstolo destaca em outra passagem, a graça que nos *salva* também é a graça que nos *ensina*. Uma vez salvos pela graça, devemos viver pela graça de maneiras que *excluamos* certos tipos de comportamento. Paulo apresenta essa argumentação dupla da seguinte forma:

> Pois a graça de Deus foi revelada e a todos traz salvação. Somos instruídos a abandonar o estilo de vida ímpio e os prazeres

> pecaminosos. Neste mundo perverso, devemos viver com sabedoria, justiça e devoção, enquanto aguardamos esperançosamente o dia em que será revelada a glória de nosso grande Deus e Salvador, Jesus Cristo. Ele entregou sua vida para nos libertar de todo pecado, para nos purificar e fazer de nós seu povo, inteiramente dedicado às boas obras.
>
> Tito 2.11-14

Bons pais e bons mestres sabem que precisam ensinar os filhos e os alunos a dizer "não" para coisas prejudiciais e perigosas. E é isso que a graça amorosa de Deus faz. Depois que Deus nos *salvou* pela graça, ele nos *ensina* pela graça.

Portanto, para tornar essa realidade algo pessoal, tenho de pensar: como homem em Cristo, salvo e ensinado pela graça, preciso entender o que significa, na prática, "abandonar o estilo de vida ímpio e os prazeres pecaminosos". Preciso deixar claro para mim mesmo que:

- há lugares aos quais não devo ir;
- há coisas para as quais não devo olhar;
- há relacionamento com os quais não devo brincar;
- há palavras que jamais devo permitir que saiam de minha boca;
- há conversas das quais não devo participar ou que não devo passar adiante;
- há sentimentos que devo repreender e reprimir;
- há desejos que não devo satisfazer;
- há atitudes em relação a outros que não devo ter... e assim por diante.

Isso não significa afastar-me do mundo de forma ascética, numa vida de eremita. Também não significa que devo afundar em um tipo de vida negativo e legalista em que tudo é tacanho e restringido por regras. Significa apenas que reconheço o chamado de Cristo para o exercício alegre e libertador de autodisciplina. Estamos em uma batalha espiritual e, quando a natureza humana se levanta e deseja assumir o controle de nossa vida, precisamos refreá-la energicamente. Paulo afirma que devemos crucificá-la.

Mas, como João Calvino disse em seu comentário desses versículos, "A morte da carne é a vida do Espírito". Temos de avançar, portanto, para a conclusão extremamente positiva de Paulo. De acordo com ele, não devemos ser governados pela lei, nem por nossa natureza pecaminosa (a carne).

3. Devemos dizer SIM para o Espírito (v. 25)

"Uma vez que vivemos pelo Espírito, sigamos a direção do Espírito em todas as áreas de nossa vida." Essa frase é típica do modo como Paulo escreve. Combina uma declaração com uma ordem (ou um indicativo seguido de um imperativo, se você prefere termos mais técnicos). Ele nos diz uma verdade a respeito de nós mesmos e, depois, nos dá a implicação disso.

Como um eixo no centro da frase, a palavra "Espírito" lhe confere belo equilíbrio. A ordem das palavras em grego é: "Uma vez que vivemos pelo Espírito, pelo Espírito marchemos".

O apóstolo começa com um fato: "vivemos pelo Espírito". Isso significa que estamos espiritualmente vivos, pois Deus nos concedeu nova vida por meio de seu Espírito. Tudo começa quando nascemos de novo pela fé em Jesus Cristo. Nesse momento, Deus vem habitar em nossa vida pela presença de seu Espírito Santo, que, evidentemente, é a presença do próprio Senhor Jesus Cristo.

Paulo já enfatizou essa dimensão de nossa experiência cristã anteriormente na carta. "Fui crucificado com Cristo; assim, já não sou eu quem vive, mas Cristo vive em mim. Portanto, vivo neste corpo terreno pela fé no Filho de Deus, que me amou e se entregou por mim" (Gl 2.20).

E os gálatas, que haviam passado pela mesma experiência por meio da pregação de Paulo, tinham, como disse o apóstolo, "começado no Espírito" (3.3), ou seja, sabiam que o Espírito de Deus tinha lhes dado vida nova em Cristo e a bênção de pertencer ao povo de Deus como filhos de Abraão.

Diante disso, portanto, "uma vez que vivemos pelo Espírito, sigamos a direção do Espírito em todas as áreas de nossa vida".[2] Paulo usa uma metáfora vívida. Ao falar de "seguir a direção", não emprega o termo comum para caminhar, mas sim uma palavra associada a treinamento militar e a marchar para a batalha. Soldados eram treinados para marchar de modo coordenado e permanecer enfileirados a fim de encarar o inimigo com força unida, "ombro a ombro", por assim dizer.

Quando eu era menino, fazia parte de um dos vários grupos da organização cristã Boys Brigade, em Belfast (todos nós considerávamos que nosso grupo, o 34º de Belfast, era o melhor!). Lembro-me bem do treino semanal de marcha. Era extremamente importante ouvir as ordens dos oficiais e segui-las de imediato, sem quebrar o ritmo. Aqui, Paulo tem em mente algo parecido. Se o Espírito ordena "meia-volta", não devemos continuar marchando adiante. Se o Espírito ordena "esquerda, volver", não devemos nos voltar para a direita. Eu gostava de marchar atrás da fanfarra de nosso grupo, logo

[2] A New English Bible capta o equilíbrio entre fato e instrução: "Se o Espírito é a fonte de nossa vida [o fato], que o Espírito dirija também nosso curso [a instrução]".

depois do menino que tocava bumbo (como eu o invejava!), quando saíamos para desfilar pelas ruas de Belfast. Nessas ocasiões, era essencial que os meninos em desfile marchassem conforme o ritmo da fanfarra. Também é a esse tipo de imagem que Paulo recorre aqui. Ouça a música e o ritmo do Espírito por meio do ensino da palavra de Deus e marche de acordo com eles.

Todos nós sabemos que, por vezes, o papel do Espírito Santo na vida da igreja é uma questão controversa. Infelizmente, muitas pessoas caem em divisão e hostilidade em razão do que, a seu ver, é "dirigido pelo Espírito" ou em razão de suas opiniões a respeito do exercício dos dons do Espírito no culto e no ministério. É uma pena, pois deveríamos enfatizar muito mais o que Paulo ensina aqui, isto é, a forma como o Espírito Santo está operando em nossa *vida* e em nosso *caráter*, e a importância de sermos pessoas que dão o fruto do Espírito. Sem dúvida, é irônico e trágico quando aqueles que falam mais energicamente sobre os *dons* do Espírito deixam de mostrar o *fruto* do Espírito.

Evidentemente, o perigo oposto também existe, a saber, de que tenhamos tanto medo dos problemas que podem resultar de falar sobre o Espírito que o deixamos inteiramente de lado. Algumas pessoas preferem enfatizar a Palavra em lugar do Espírito. Cria-se, porém, uma falsa dicotomia e um posicionamento que não é fiel ao ensino do apóstolo Paulo.

O Movimento de Lausanne realizou seu Terceiro Congresso de Evangelismo Mundial na Cidade do Cabo, em outubro de 2010. Ali, foi produzido o "Compromisso da Cidade do Cabo: Uma confissão de fé e um chamado à ação". Gosto muito da ênfase que ele põe sobre a importância do Espírito Santo *e* da Palavra de Deus na vida cristã em geral e em nossa missão no mundo de modo específico. Vale a pena citar alguns de seus parágrafos na íntegra a fim de realçar essa questão. Observe como as declarações destacam a importância de caráter e comportamento, expressados de maneira prática na forma como vivemos e servimos a Deus em nossa vida como obra do Espírito e da palavra de Deus.

Primeiramente, veja o que diz a respeito do Espírito Santo:

> Amamos o Espírito Santo na unidade da Trindade, juntamente com Deus Pai e Deus Filho. Ele é o Espírito missionário enviado pelo Pai missionário e pelo Filho missionário, que sopra vida e poder na Igreja missionária de Deus. Amamos a presença do Espírito Santo e a pedimos em oração, pois se o Espírito não dá testemunho de Cristo, nosso testemunho é inútil. Sem a obra de convencimento do Espírito, é vã nossa pregação. Sem os dons, a direção e o poder do Espírito, nossa missão é mero esforço humano. E sem o fruto do Espírito, nossa vida pouco atraente não é capaz de refletir a beleza do evangelho (CCC I.5).

E, abaixo, transcrevo parte da declaração sobre a palavra de Deus. A seção "Amamos a Palavra de Deus" tem três parágrafos com os títulos: "A Pessoa que a Bíblia revela", "A história que a Bíblia conta" e "A verdade que a Bíblia ensina". Em seguida, prossegue (as notas de rodapé fazem parte do documento original):

> *A vida que a Bíblia requer.* "A mensagem está bem perto; está em seus lábios e em seu coração, para que possam obedecer." Jesus e Tiago nos chamam para sermos praticantes da Palavra e não somente ouvintes.[3] A Bíblia retrata uma qualidade de vida que deve caracterizar o cristão e a comunidade dos fiéis. De Abraão

[3] Deuteronômio 30.14; Mateus 7.21-27; Lucas 6.46; Tiago 1.22-24.

a Moisés, passando pelos salmistas, profetas e sábios de Israel, até Jesus e seus apóstolos, aprendemos que esse modo de vida bíblico abrange justiça, compaixão, humildade, integridade, honestidade, castidade sexual, generosidade, bondade, espírito de sacrifício, hospitalidade, pacificação, não retaliação, boas obras, perdão, alegria, contentamento e amor, tudo isso reunido em uma vida de adoração, louvor e fidelidade a Deus.

Confessamos que, com facilidade, declaramos amar a Bíblia sem amar a vida que ela ensina, a vida de obediência prática e sacrificial a Deus por meio de Cristo. No entanto, "nada recomenda o evangelho de maneira mais eloquente que uma vida transformada, e nada o leva a maior descrédito que a incoerência pessoal. É nossa responsabilidade viver de maneira digna do evangelho de Cristo, até mesmo tornando-o 'atraente', realçando sua beleza por meio de uma vida santa".[4] Portanto, por causa do evangelho de Cristo, renovamos nosso compromisso de provar nosso amor pela Palavra de Deus crendo nela e obedecendo-lhe. Não há missão bíblica sem vida bíblica (CCC I.6.D).

Epílogo

Começamos este livro com uma oração diária que John Stott fez ao longo de toda a vida. E terminamos com algumas citações do último sermão que ele pregou, na Convenção de Kenswick, em julho de 2007. Posteriormente, ele incluiu esse sermão em seu último livro, *O discípulo radical*. Seu tema é a semelhança de Cristo. Stott pregou com fervor que a vontade suprema para todos os cristãos é que se tornem cada vez mais semelhantes a Cristo.

Segundo Stott, devemos ser semelhantes a Cristo em sua encarnação (Fp 2), em seu serviço como escravo (Jo 13), em

[4] *O Manifesto de Manila*, parágrafo 7; Tito 2.9-10.

seu amor abnegado (a cruz), no sofrimento que suportou (1Pe 2.21) e em sua missão (Jo 17.18; 20.21).

Em seguida, passou ao seguinte tema:

> *Semelhança a Cristo e o desafio do evangelismo*
>
> Por que nossos esforços evangelísticos são, com frequência, caracterizados por fracassos? Podemos apresentar vários motivos [...], mas um dos principais é que não nos parecemos com o Cristo que proclamamos. [...] Um professor hindu, ao identificar que um de seus alunos era cristão, disse: "Se vocês cristãos vivessem como Jesus, a Índia estaria a seus pés amanhã".

Por fim, John Stott chegou à questão de como nos tornaremos semelhantes a Cristo, e sua resposta é ligada a sua oração diária e a todo este livro.

> *Semelhança a Cristo e a habitação do Espírito em nós.*
>
> Falei muito sobre a semelhança a Cristo, mas como é possível para nós? Evidentemente, com nossas próprias forças, não é. No entanto, Deus nos deu seu Espírito Santo para nos capacitar de modo que cumpramos seu propósito.
>
> William Temple costuma ilustrar essa questão usando Shakespeare como referência: "De nada adianta me dar uma peça como Hamlet ou Rei Lear e dizer que devo escrever uma peça semelhante. Shakespeare era capaz de fazê-lo. Eu não sou. E de nada adianta me mostrar a vida de Jesus e dizer que devo viver de forma semelhante. Jesus era capaz de fazê-lo. Eu não sou. Mas se a genialidade de Shakespeare viesse habitar dentro de mim, então eu poderia escrever peças como as dele. E se o Espírito de Jesus viesse habitar dentro de mim, então eu poderia viver como ele.

O propósito de Deus é nos tornar semelhantes a Cristo e, para isso, Deus nos enche com seu Espírito Santo.[5]

Talvez a melhor maneira de concluir seja com a suave oração em forma de cântico escrita por Albert Orsborn, que combina o anseio pela semelhança a Cristo com a obra do Espírito.

Que a beleza de Jesus seja vista em mim
Toda sua maravilhosa compaixão e pureza
Ó Espírito Divino, refina toda minha natureza
Até que a beleza de Jesus seja vista em mim.

[5] John Stott, *The Radical Disciple: Wholehearted Christian Living* (IVP, 2010), p. 39-41 [publicado em português sob o título *O discípulo radical*. Viçosa: Ultimato, 2012].

Compartilhe suas impressões de leitura,
mencionando o título da obra, pelo e-mail
opiniao-do-leitor@mundocristao.com.br
ou por nossas redes sociais

Esta obra foi composta com tipografia Palatino e impresso em
papel Pólen Natural 80 g/m² na gráfica Meta Brasil